To Israel Tal

MERKAVA

The Merkava Project
A History of Israel´s Main Battle Tank

Der Kampfpanzer der Israelischen Armee

by Marsh Gelbart

Editor´s Note

The Israeli Merkava main battle tank represents a benchmark in modern fighting vehicle technology. Designed to match local tactical doctrine, the Merkava has evolved into one of the most modern and effective weapon systems.

This publication incorporates background material and photographs gathered by the author, Marsh Gelbart, over a period of twenty years. The author who is an analyst specialising in Israeli defence affairs, has produced the most comprehensive research work hitherto published on the subject.

Israeli security concerns restrict the release of in-depth information about the Merkava.
Similarly there are limitations on official photographs of the tank.
Consequently, when necessary, official low-resolution photographs have been used
to fill in the gaps left by field security issues.

Jochen Vollert
Editor, Tankograd Publishing, March 2005

Anmerkung des Herausgebers

Der israelische Kampfpanzer Merkava stellt eines der herausragensten Panzerkonzepte der Neuzeit dar. Entwickelt, um lokalen Einsatzparametern gerecht zu werden, hat er sich zu einem der besten Waffensysteme moderner Landstreitkräfte entwickelt.

Diese Publikation beinhaltet Hintergrundinforamtionen und Abbildungen, die der Autor, Marsh Gelbart, über einen Zeitraum von 20 Jahren zusammengetragen hat. Damit kann der Autor, anerkannter Spezialist auf dem Gebiete der israelischen Streitkräfte, das bisher genaueste Werk zum Merkava vorstellen.

Umfassendes israelische Sicherheitsdenken stuft viele Informationen zum Thema immer noch als Geheim ein. Es wurden daher auch offizielle Fotos mit niedrigerer Bildqualität genutzt, um die Recherche zu komplettieren, ohne vitale Sicherheitsinteressen Israels zu gefährden.

Jochen Vollert
Herausgeber, Tankograd Publishing, März 2005

ISBN 3-936519-01-3

Verlag Jochen Vollert - Tankograd Publishing
Wilhelmstr. 2 b, 91054 Erlangen, Germany

Content
Inhaltsangabe

Author´s Introduction and Acknowledgements
Vorwort und Danksagung des Autors

Since its inception, I have been collating information on Israel's home built tank the Merkava. In reference to the sensitivity of the subject and restrictions in official material, the information given in this book is accurate. Some material has come from official sources, some from my own research.

It has been a delicate process choosing what to publish. The Merkava is currently in service and the Israeli Government is understandably keen on keeping its secrets safe. To the best of my knowledge I have avoided making public any information that might hazard the IDF's field security. On the other hand I have tried to filter out misleading disinformation on the Merkava which is in the public domain.

At the risk of sounding like an over-excited Hollywood actor, there are a lot of people to whom I owe thanks for helping make this book possible. Other than my long suffering partner Helen, I would like to say thank you to the following individuals and organisations.

Within Israel - Over the last decade I have been grateful to the IDF and the IDF's Spokesman's Office for their permission to photograph the Merkava in service and on exercise. In recent times I have been beholden to Yehuda L, head of the Tank Programme Management organisation and his staff including the manager of the Merkava production plant at Tel Ha Shomer and Sarith my guide around the plant. I would also like to offer particular thanks to Lieutenant Colonel Gill M, whom in his guise as a brigade commander and as a member of the IDF's Armoured Corps Doctrine Department not only facilitated my requests to photograph the Merkava 4 but me feel very welcome at his armoured base. Thanks are due to the staff at the Tank Museum at Latrun, in particular Devori Berger the librarian for her help with library resources and encouragement and permission to take and use photographs of the museum exhibits. The team at the Ordnance Museum Beit Ha Osef, Jaffa, have been similarly helpful over the years.

In June 2004 I had the honour to be allowed to interview the creator of the Merkava tank, General Israel Tal. General Tal is not only an engineering genius, but is considered one of the world's best armoured commanders. I would like to thank those who made the interview possible.
There are others within Israel who would prefer to remain anonymous. They know who they are and know of my gratitude.

Within the UK - I owe a considerable debt of gratitude to Fiona Punter, conference organiser of the British based organisation SMi. SMi offer a fascinating series of conferences on armoured vehicle design and usage. In conjunction, these provide a unique environment, where senior officers, military manufacturers and defence analysts from several nations can get together and exchange ideas and information. Amongst those I have met at SMi's conferences are Robin Fletcher, Chris Foss and Richard Ogorkiewicz. They are three of the best armoured vehicle analysts in the West. I owe them thanks for their patience and the insights they freely offered into the intricacies of armoured vehicle design.

Marsh Gelbart, 2005

Seit seiner Konzeption habe ich Informationen über Israels eigenen Kampfpanzer, den Merkava, zusammengetragen. Im Hinblick auf die sensitiven Informationen zu diesem Waffensystem, damit einhergehend die stark eingegrenzte Verfügbarkeit von nicht-eingestuftem Material, sind die Angaben in dieser Publikation zutreffend. Viele Unterlagen stammen aus offiziellen Quellen, andere aus meiner eigenen Recherche.
Die Auswahl des zu publizierenden Materials unterlag einem schwierigen Prozess. Der Kampfpanzer Merkava befindet sich im aktiven Dienst und die israelische Armee ist verständlicherweise sehr darauf bedacht, ihre Geheimnisse zu hüten. Nach bestem Wissen habe ich es vermieden, Informationen zu veröffentlichen, die die Sicherheit der israelischen Verteidigungskräfte (IDF) im Felde gefährden. Andererseits habe ich gängige, falsche Informationen über den Merkava dahingehend herauszufiltert, als dies für eine Veröffentlichung unbedenklich ist.

Ohne übereifrig wirken zu wollen, möchte ich zahlreichen Personen und Institutionen, denen ich zu Dank verpflichtet bin, und ohne deren Hilfe die Verwirklichung dieses Buches nicht möglich gewesen wäre, hier nennen:

In Israel: Mein Dank gilt der IDF und insbesondere dem Büro des Sprechers der IDF, die mir die Möglichkeit gaben, den Kampfpanzer Merkava im Dienst und auf Übungen zu fotografieren. Sehr dankbar bin ich Yehuda L, dem Leiter des Panzerprogramms und seinem Stab, sowie dem Leiter der Merkava-Fertigung in Tel Ha Shomer und Sarith, meinem Führer innerhalb des Werkes. Insbesondere aber gilt mein Dank Oberstleutnant Gill M., der als Brigadekommandeur und Mitglied der Abteilung für Taktik innerhalb der gepanzerten Truppen der IDF nicht nur meine Anträge zum Fotografieren des Merkava 4 verwirklichen half, sondern mich in seinem Standort auch sehr herzlich willkommen hieß.
Weiterhin gilt mein Dank der Museumsleitung des Panzermuseums in Latrun, und hier insbesondere Devori Berger, der Bibliothekarin, für ihre Unterstützung bei der Recherche sowie für die Genehmigung, Fotos der Ausstellungsstücke zu machen und zu verwenden. Die Mannschaft des Militärmuseums Beit Ha Osef in Jaffa war in den vergangenen Jahren ähnlich kooperativ.
Im Juni 2004 hatte ich die Ehre, zu einem Interview den Konstrukteur des Kampfpanzers Merkava, General Israel Tal, persönlich zu treffen. General Tal zeigte seine Genialität nicht nur als Ingenieur, sondern wird auch als einer der besten Kommandeure für gepanzerte Truppen weltweit anerkannt. Ich danke hiermit denjenigen, die halfen, dieses Interview zu verwirklichen.

Es gibt noch zahlreiche Andere in Israel, die anonym bleiben möchten. Sie wissen wer gemeint ist und um meine Dankbarkeit.

In Großbritannien: Außergewöhnlichen Dank schulde ich Fiona Punter, Organisatorin der SMi Konferenzen in Großbritannien. SMi bietet faszinierende Konferenzen zum Thema Panzerfahrzeuge, deren Entwicklung und Nutzung. Hier bietet sich die Gelegenheit für höhere Offiziere, die Industrie und Verteidigungsspezialisten verschiedener Nationen zusammenzukommen und Informationen auszutauschen. Unter denjenigen, die ich bei den SMi Konferenzen getroffen habe, sind Robin Fletcher, Chris Foss und Richard Ogorkiewicz zu nennen. Sie zählen zu den besten Spezialisten bezüglich Panzerfahrzeugen in der westlichen Welt. Ihnen gehört mein Dank bezüglich ihrer Geduld und der großzügig gewährten Einblicke in das Thema.

Marsh Gelbart, 2005

- 1 -

Introduction
Einleitung

<table>
<tr><td>English Text</td><td>Deutscher Text</td></tr>
</table>

The Merkava (chariot) is amongst the most advanced tanks currently in service. Yet Israel's armoured corps has not always been at the cutting edge of armour technology. For much of its history the Israeli Defence Forces (IDF) made do with second hand main battle tanks (MBTs). More often than not, these were obsolescent machines, the cast-offs from others armies. To supplement these inadequate vehicles, the IDF made use of tanks captured in battle.

Through the 1950s the IDF employed an amalgam of elderly, upgraded Shermans and French supplied AMX-13 light tanks, as the backbone of their tank fleet. It became imperative to improve the capabilities of these vehicles to match those employed by the IDF's Arab opponents. Egypt in particular began to receive armoured vehicles which were qualitatively much improved on the previous models in their inventory. As a result the IDF became expert at renovating and upgrading elderly vehicles, whilst adapting them to local conditions. For instance, by the mid 1960s, the IDF's ordnance depots completely rebuilt some of their M4A1 Shermans. Around 2,500 man hours per tank were spent during the programme. Amongst many other modifications, a Cummings 460 hp diesel was retro-fitted along with an E8 HVSS suspension. A modified version of the French CN 105 F1 gun was developed and fitted to the Sherman. The improvements, in particular the 105 mm gun, gave the elderly tank a fighting chance of successfully engaging modern T-55s entering into service with the Egyptian army. The successful process of introducing upgrades to their existing machines gave the Israelis a pool of knowledge and experience in tank manufacture. This background of technical competence was to prove invaluable for the eventual manufacture of an indigenous tank. There were limits beyond which obsolescent tanks could not be effectively upgraded. The IDF desperately needed newer MBTs. Although Israel was to obtain Centurion tanks in 1960, doubts continued over the supply of MBTs available for purchase from abroad. Consequently, in 1962, tentative proposals were put forward by Yisrael Tilan, the deputy head of the tank section of the Ordnance Corps, to bypass the problem. The initial plan was that Israel should manufacture a tank hull and turret of indigenous design, but import from various sources, all the other major components required of an MBT. This was deemed too ambitious and expensive a proposition.

Der Merkava (hebräisch für "Streitwagen") gehört zu den fortschrittlichsten Kampfpanzern, die sich gegenwärtig im Einsatz befinden. Dabei waren die israelischen Panzertruppen nicht immer auf dem Höchststand bezüglich Panzertechnik. Fast kontinuierlich in der Geschichte der IDF (Israeli Defence Forces - Israelische Streitkräfte) war die Panzertruppe auf "gebrauchte" Kampfpanzer angewiesen. Zumeist waren dies veraltete und von anderen Armeen bereits ausgesonderte Fahrzeuge gewesen. Zur Ergänzung ihres Fahrzeugparks griff die IDF aber auch auf Beutepanzer aus den Nahost-Kriegen zurück.

Während der 1950er Jahre nutzte die IDF eine Mischung aus alten, nachgerüsteten Shernan-Panzern amerikanischer Fertigung und aus Frankreich gelieferten leichten Panzern des Typs AMX-13 als Rückgrat ihrer Panzerwaffe. Es war, angesichts des von den arabischen Gegnern eingesetzten Gerätes, zwingend notwendig, deren Kampfkraft zu verbessern. Insbesondere Ägypten hatte Panzerfahrzeuge erhalten, die den bisher im israelischen Bestand befindlichen Typen deutlich überlegen waren. Konsequenterweise wurde die IDF so zum Spezialisten für die Nachrüstung und Kampfwertsteigerung älteren Gerätes unter der Berücksichtigung vorhandener Kapazitäten. So überarbeitete beispielsweise das Waffendepot der IDF Mitte der 1960er Jahre M4A1 Sherman-Panzer komplett. Während der Umrüstung wurden pro Panzer etwa 2.500 Mannstunden aufgewandt. Zu den zahlreichen Modifikationen zählten auch der Einbau eines Cummins Dieselmotors mit einer Leistung von 460 PS und einer Fahrwerkfederung vom Typ E8 Horizontal Volute Spring Suspension (HVSS). Eine modifizierte Version der französischen Kanone CN 105 F1 war entwickelt und in den Sherman eingebaut worden. Diese Kampfwertsteigerung, insbesondere durch die 105 mm Kanone, gab dem überalterten Panzer eine Durchsetzungsfähigkeit, die es ihm erlaubte, modernen Kampfpanzern des Typs T-55, der von der ägyptischen Armee zu dieser Zeit gerade eingeführt wurde, erfolgreich entgegenzutreten. Die erfolgreiche Durchführung von Kampfwertsteigerungsmaßnahmen für ihr vorhandenes Gerät gab den Israelis das Wissen und die Erfahrung zum Panzerbau. Dieser Hintergrund technischer Kompetenz sollte sich für den schließlichen Bau eines eigenen Kampfpanzers als unbezahlbar erweisen.

Es gab allerdings Grenzen, die einer weiteren Kampfwertsteigerung eines veralteten Panzers entgegenstanden. Die IDF benötigte dringend moderne Kampfpanzer. Und obwohl Israel 1960 Kampfpanzer des Typs Centurion erhalten hatte, blieben Zweifel am kontinuierlichen Zulauf von zum Verkauf anstehenden Kampfpanzern aus dem Ausland. Aus diesem Grunde wurden von Yisrael Tilan, dem stellvertretenden Chef der Panzerabteilung des israelischen Waffenam-

Instead the Israelis sought out agreements with others to licence build tanks. The Israelis had extensive military contracts with France. Indeed General Israel Tal, commander of the IDF's armoured corps, had visited the country to share his impressions of the AMX-30, France's MBT. Yet there were no exploratory talks with France around co-producing the AMX-30, nor was there any intent by the IDF to purchase the French tank.[1] Instead efforts focussed around negotiating with Britain about setting up an assembly line for the Chieftain MBT. The British agreed to co-production of the tank, if the IDF continued to buy up some of the British army's stockpile of obsolescent Centurions. This, the Israelis were keen to do. In spring 1967 two Chieftains were provided to the Israelis and underwent desert trials, suggested modifications being fed back from the IDF to the British manufacturers. A replacement pair of machines was provided in 1968, the original tanks having been returned to the UK. However, political pressure from Arab oil producing states saw the British renege on initial production agreements. In December 1969, the two tanks were shipped back to Britain and plans for Israeli assembly of the tank were scrapped. The vulnerability of remaining dependent on others for major, vital weapon systems was starkly exposed.

The Merkava programme was launched on 20 August 1970. The overall manager of the Merkava programme was General Israel Tal, a man with a formidable record as both commander and shaper of Israel's armoured corps. Tal, a self-taught engineer of some genius, was responsible for the most innovative features of the Merkava project, in particular its unorthodox configuration. Although he was personally a modest and self-effacing man, Tal also possessed the necessary drive and ruthless streak required for pushing the complex project to fruition. The Merkava became Tal's creation. He continued being the guiding light of the project right up until the entry of the Merkava 4 in service. The chief engineer of the programme was Colonel Yisrael Tilan, who was also made head of the newly formed Tank Development Directorate of the Ordnance Corps. Introverted, shy and adverse to conformist military disciplines, Tilan was noted for his ability to find unconventional answers to engineering problems. Until he left the Merkava project in 1975, Tilan helped implement engineering solutions to Tal's advanced concepts.

To build the tank was an enormous undertaking for Israeli industry, straining all its capabilities. The component parts of the tank were to be designed and built by Israel's leading defence and electronic companies. Some 200 or so firms were involved in the assembly of parts and sub-systems. Israel Military Industries (IMI) was to be the overall industrial coordinator and directly responsible for the main gun and protection components. Other companies involved included Elbit and El-Op, (nowadays integrated in one company). They were responsible for the fire control system (FCS) and sights. Urdan manufactured the armour castings and IAI-Ramta some protection components. Up to 4,500 people became involved directly or indirectly in the tank's constriction. From initiation of the undertaking to completion of the prototypes, the Merkava project cost some US$ 65 million. Whilst private industry was responsible for many of the components, the IDF retained responsibility for the actual assembly and testing of the vehicle. The Merkava assembly line,

tes, 1962 die ersten Vorschläge unterbreitet, wie man das Problem umgehen könne. Erste Pläne sahen den Eigenbau einer Panzerwanne und eines Turmes vor, die durch den Import von anderen Hauptkomponenten aus den verschiedensten Quellen ergänzt werden sollten. Dieser Vorschlag wurde zunächst als zu risikoreich und teuer angesehen.

Stattdessen versuchten die Israelis, Verträge für einen Lizenzbau von Panzern zu erhalten. Israel hatte enge militärische Kontakte zu Frankreich. In der Tat hatte General Tal, der Kommandeur der israelischen Panzerwaffe, Frankreich bereits besucht, um Eindrücke über den Kampfpanzer AMX-30 zu gewinnen. Weder ergaben sich jedoch vorläufige Gespräche mit Frankreich über eine mögliche Koproduktion des AMX-30, noch gab es Absichten bei der IDF zur Beschaffung des französischen Panzers [1]. Stattdessen fanden Maßnahmen zur Einleitung von Verhandlungen mit Großbritannien für die Montage von Kampfpanzern des Typs Chieftain statt. Großbritannien stimmte einer Koproduktion des Panzers zu, sofern die IDF mit den Ankauf weiterer veralteter Centurion-Panzer aus britischen Beständen fortführe. Dies beabsichtigten die Israelis ohnehin. Im Frühjahr 1967 sind zwei Kampfpanzer des Typs Chieftain nach Israel geliefert und eingehenden Wüstentests unterzogen worden, wonach empfohlene Modifikationen an den britischen Hersteller weitergereicht wurden. Zwei weitere Panzer diesen Typs sind 1968 ausgeliefert worden, während die ersten beiden zurück nach Großbritannien gingen. Politischer Druck der arabischen und ölproduzierenden Staaten veranlassten die britische Regierung allerdings, die anfänglich anvisierte Koproduktion zu überdenken. Im Dezember 1969 sind auch die beiden weiteren Panzer zurück nach Großbritannien verschifft worden. Alle weiteren Pläne bezüglich einer Fertigung in Israel wurden eingestellt. Dies zeigte überdeutlich die Abhängigkeit Israels von anderen Staaten bezüglich lebenswichtiger Hauptwaffensysteme.

Das Merkava-Programm begann am 20. August 1970. Der Leiter des Programms war General Israel Tal, ein Mann mit einem außergewöhnlichen Hintergrund als Kommandeur und einer der Gründer der israelischen Panzerwaffe. Tal, ein genialer autodidaktischer Ingenieur, war verantwortlich für die meisten der innovativen Neuerungen des Merkava-Projektes, insbesondere die unorthodoxe Auslegung. Trotzdem war er persönlich ein bescheidener und selbstgenügsamer Mann mit dem notwendigen Elan und unbarmherzigen Eifer um ein solches Projekt vorwärts zu treiben und zum Erfolg zu führen. Der Merkava war Tals Schöpfung. Er blieb das führende Licht während des gesamten Projektes bis hin zur Einführung des Merkava 4.

Chefingenieur war Oberst Yisrael Tilan, der zum Leiter des neu gebildeten Entwicklungsbüros für Panzer des israelischen Waffenamtes wurde. Introvertiert, schüchtern und militärischer Disziplin abgeneigt, war Tilan bekannt für seine Fähigkeit, unkonventionelle Antworten zu ingenieurtechnischen Problemen zu finden. Bis 1975, als Tilan das Merkava-Projekt verließ, half er bei der Verwirklichung ingenieurtechnischer Lösungen für Tals fortschrittliche Konzepte.

Der Bau eines Kampfpanzers stellte die israelische Industrie vor eine enorme Aufgabe, die alle vorhandenen Kapazitäten ausreizte. Die einzelnen Komponenten des Panzers waren von den führenden Herstellern der einheimischen Verteidigungs- und Elektronikindustrie zu entwerfen und zu fertigen. Ungefähr 200 Firmen wurden in die Fertigung von Teilen und Unterbaugruppen involviert. Israel Military Industries (IMI) zeichnete sich als Generalunternehmer für die Koordinierung des Projektes, sowie für die Hauptwaffe und Schutztechnik verantwortlich. Andere beteiligte Firmen waren Elbit und El-Op, die heute zu einer Firma verschmolzen sind, verantwortlich für Feuerleitsysteme und Optiken. Urdan fertigte Gussformen für die Panzerung und IAI-Ramta einige Schutzelemente. Ungefähr 4.500 Mitarbeiter waren an der Fertigung des Panzers direkt oder in-

known as Plant 7100, was set up at the key military ordnance base at Tel Ha Shomer. Tel Ha Shomer already had a proud record, being responsible for most of the equipment upgrades and modifications the IDF had performed on its heavy armour. Any lingering doubts the Israelis might have held over such an ambitious programme were lessened during the Yom Kippur War of October 1973. Britain introduced an arms embargo. This at a time when the Israelis felt they were fighting for survival. In Israeli eyes the embargo underlined the necessity for an indigenous arms industry, one which had the capacity to produce its own MBT.

direkt beteiligt. Von den Anfängen bis zur Verwirklichung der Prototypen kostete das Merkava-Projekt etwa 65 Millionen US$.

Während die private Industrie für viele der Komponenten verantwortlich war, behielt die IDF die Verantwortung für die Montage und Truppenerprobung der Fahrzeuge. Die Montagestraße für den Merkava, bekannt als Werk 7100, wurde auf dem Gelände des Hauptdepots in Tel Ha Shomer errichtet. Tel Ha Shomer konnte bereits auf eine stolze Geschichte zurückblicken, da hier die meisten Kampfwertsteigerungsmaßnahmen und Modifikationen für die israelische Panzerwaffe durchgeführt worden waren.

Jegliche möglichen verbleibenden Zweifel der Israelis bezüglich eines solch ehrgeizigen Projektes sind dann während des Yom-Kippur-Krieges 1973 relativiert worden. Großbritannien verhängte ein Waffenembargo. Und dies zu einer Zeit, als die Israelis ums Überleben kämpften. Aus der Sicht Israels unterstrich das Embargo die Notwendigkeit für eine eigene Rüstungsindustrie mit der Fähigkeit zum Bau eines eigenen Kampfpanzers.

(1) Information provided during a conversation between the author and General Tal in June 2004.

(1) Diese Information beruht auf einem Gespräch des Autors mit General Tal im Juni 2004

MERKAVA - EVOLUTION

MERKAVA Prototypes
Wooden mock-up, test-mules on Centurion chassis, pre-series prototype
Holzmodell, Technologieträger auf Centurion-Fahrgestell, Vorserienfahrzeug

MERKAVA 1
Series production vehicle
Serienvariante

MERKAVA 1
Modified during service life with chain and ball armour plus numerous retrospective changes. Hybrid.
Umrüstung der Serienvariante mit "ball and chain" Panzerung und weiteren Modernisierungen. Hybrid.

MERKAVA 2
With applique armour to hull sides, improved fire-control system and running gear plus other modifications.
Mit Zusatzpanzerung an den Wannenseiten, verbessertem Feuerleitsystem und Fahrwerk sowie weiteren Modifikationen.

MERKAVA 2A
Enhanced fire-control system, improved sensor-mast array
Verbesserte Feuerleitanlage, modernisierte Sensormast-Anlage

MERKAVA 2B
Fitted with an updated sight with thermal imaging. Now with fully automatic transmission. Extra roof armour.
Ausgerüstet mit verbesserten Zieloptiken mit Wärmebildgerät, vollautomatischem Getriebe und Zusatzpanzerung auf dem Dach.

MERKAVA 2 BATASH
As MERKAVA 2B, plus improved armour packages.(Also known as Merkava 2B Dor Dalet)
Wie MERKAVA 2B, aber mit verbesserten Panzerungselementen. (Auch als Merkava 2B Dor Dalet bekannt)

MERKAVA 3
With 120mm smoothbore gun, modular armour and new power pack.
Mit 120 mm Glattrohrkanone, modularer Panzerung und neuer Antriebsanlage.

MERKAVA 3B
Fitted with additional roof armour and changes to loader´s hatch.
Ausgestattet mit zusätzlicher Dachpanzerung und modifizierter Ladeschützenluke.

MERKAVA 3 Baz
Incorporates roof armour plus an autotracker fire-control system.
Mit Dachpanzerung und Feuerleit-anlage mit automatischer Zielverfolgung.

MERKAVA 3 B Baz Dor Dalet
Incorporates roof armour, autotracker and fourth generation armour packages.
Dachpanzerung, automatische Zielverfolgung und Panzerung der vierten Generation.

MERKAVA 4
New engine and running gear, new armour, improved gun and fire-control system. Fully digitalised.
Neue Antriebsanlage, neues Fahrwerk, neue Panzerung, verbesserte Bordkanone und verbesserte Feuerleitanlage. Komplett digitalisiert.

- 2 -

The Merkava 1 MBT
Kampfpanzer Merkava 1

Shaping the Merkava

During the Yom-Kippur War of 1973, IDF armour had suffered heavy losses. These losses were predominantly inflicted by high explosive anti-tank (HEAT) warheads. HEAT warheads incorporate a cone of copper, with its blunt end forwards, packed into an explosive mass. HEAT warheads are alternatively referred to as shaped-charge projectiles. When a HEAT round detonates the copper cone is instantly transformed by the force of the explosion into a high energy linear jet. The jet is enormously hot and more importantly incredibly fast; it shoots forward at a speed close to eight kilometres per second, piercing conventional armour in its path. These shaped-charge warheads were used by some tank shells, on anti-tank guided missiles (ATGMs) and rocket propelled grenades (RPGs). Israeli tank designers also had to find ways to defend against deadly kinetic energy (KE) penetrators. KE penetrators grew in effectiveness in the years following the 1973 war. They are manufactured from heavy, dense metals such as tungsten or depleted uranium. KE rounds act as high energy darts which move at enormous velocity, typically flying at 1,800m a second and cutting through all but the thickest armour. KE projectiles are typified by armour-piercing fin-stabilised discarding-sabot (APFSDS) tank rounds.

Steel, made up in the form of rolled homogeneous armour (RHA), was the customary material used to protect tanks. The thickness of RHA that could be used was limited by practical considerations relating to its weight and bulk. By the mid-1970s the performance of both HEAT and KE projectiles overmatched the armour protection of most tanks. Consequently either new materials had to be found to compliment or replace RHA as the basic protection for tanks, or new ways of arranging RHA had to be found.

When starteing to develop the Merkava the Israelis, unlike the Americans and eventually the Germans, were not granted access to the secrets of Britain's Chobham armour. Chobham, made up of laminates incorporating steel and ceramics, transformed MBT protection in the late 1970s. Without Chobham, the IDF had to find alternative ways to shield the Merkava against the wide spectrum of threats it had to face.

For General Tal, the overriding consideration of the Merkava's design was that it should offer an unprecedented level of protection for its crew. Israeli society is extremely sensitive to bat-

Die Geburt des Merkava

Während des Yom-Kippur-Krieges im Jahre 1973 hatte die IDF schwere Verluste bei den Panzertruppen zu verzeichnen. Diese Verluste waren zumeist auf den Einsatz von panzerbrechenden Sprenggeschossen (HEAT) zurückzuführen. HEAT-Gefechtsköpfe beinhalten eine, in Sprengstoffmasse gepackte, Haube aus Kupfer mit einer stumpfen Nase. Eine andere Bezeichnung für einen HEAT Gefechtskopf ist Hohlladungsgeschoss. Wenn das HEAT-Geschoss detoniert, wird die Kupferhaube durch die Wucht der Explosion in einen hochenergetischen Hitzestrahl umgewandelt. Der Strahl ist außergewöhnlich heiß und, noch wichtiger, unglaublich schnell; er bewegt sich mit nahezu acht Kilometern pro Sekunde und durchschneidet dabei auf seinem Weg alle herkömmlichen Panzerungen. Diese Hohlladungs-Gefechtsköpfe werden bei Panzermunition, bei Panzerabwehr-Lenkflugkörpern (PAL) und bei raketengetriebener Munition von Panzerfäusten (RPG) verwendet. Die israelischen Panzerkonstrukteure hatten aber auch Wege zu finden, sich gegen Wuchtgeschosse (KE) zu verteidigen. Wuchtgeschosse wurden nach 1973 immer effektiver. Die Penetratoren werden dabei aus sehr schweren und dichten Materialien wie Tungsten oder abgereichertem Uran gefertigt. Wuchtgeschosse funktionieren als hochenergetische Pfeile mit sehr hohen Geschwindigkeiten, die in der Regel bei etwa 1.800 Meter in der Sekunde liegen und dabei auch die dickste Panzerung durchschlagen. Wuchtgeschosse werden bei Panzergeschossen durch flügelstabilisierte Treibkäfiggeschosse (APFSDS) repräsentiert.

Panzerstahl war bisher das Material zum Schutz von Panzerfahrzeugen. Die verwendbare Dicke von Panzerstahl wird allerdings durch praktische Überlegungen bezüglich Gewicht und Volumen begrenzt. Mitte der 1970er Jahre waren HEAT- oder KE-Geschosse in der Regel in der Lage, die Panzerung der meisten Kampfpanzer zu durchschlagen. Folgerichtig war es an der Zeit, entweder neue Materialen zu finden, um vorhandene Panzerstähle als Basisschutzelement zu ersetzen oder zu ergänzen, oder diese neu anzuordnen.

Zu Beginn der Entwicklung des Kampfpanzers Merkava hatten die Israelis, anders als die Amerikaner und schließlich auch die Deutschen, keinen Zugang zu den Geheimnissen der britischen Chobham-Panzerung. Die Chobham-Panzerung, bestehend aus Schichten von Stahl und Keramik, veränderte den Panzerschutz in den späten 1970er Jahren. Ohne Chobham-Panzerung hatten die Israelis alternative Wege zu beschreiten um den Kampfpanzer Merkava gegen das weite Spektrum an Bedrohungen zu schützen, dem dieser gegenüberstehen würde.

Für General Tal war es die vordringlichste aller Aufgaben, ein bisher

tlefield losses. In addition, the IDF found that whilst damaged tanks could be rapidly recovered and repaired, it took more time to provide replacement crews. Consequently, priority was given to saving crews from injury. Heavy investment was made in operational research. Knocked out armoured vehicles, both friendly and of enemy origin, were recovered and examined in detail. Battle damage, including what type of projectile hit the tank, where and with what effect was recorded and collated. This detailed database was to contribute towards the shape, armour layout and most significantly the configuration of the Merkava.

Unlike a traditional MBT design, the Merkava has its powerpack in the front rather than the rear. The unconventional position of the powerpack means that the tank's engine and transmission add their bulk to the already thick frontal armour. If the tank's glacis is pierced by a projectile, then its path is blocked by the powerpack. Emphasis is on shielding the crew compartment, rather than the overall protection levels of the tank itself. In essence sub-components such as the power train, fuel cells, heavy battery packs and suspension, were all designed and positioned to offer improved protection to the crew compartment. In combination these components form part of an integrated protective shell, and are intended to sacrifice themselves, whilst degrading the penetration performance of a projectile strike on the tank. Consequently the Merkava is more likely to suffer a mobility kill, rather than a catastrophic penetration, involving the death or injury of its crew. Complex ballistic vulnerability/lethality analyses were carried out. It was found that even after residual penetration, careful compartmentalisation of the ammunition supply, meant reduced chance of secondary explosion. In conversation, General Tal is very clear that crew survivability is the aspect of the Merkava's design he is most proud of.

Analysis of where tanks are most likely to suffer damage showed that the tank`s frontal 60°arc was most at risk. Some 45% of projectiles that hit a tank did so within the arc, mostly impacting on the turret rather than hull. As a result of this research the Merkava was given a wedge-shaped turret, a shape which makes for a smaller target when viewed from the front.

The Merkava has a crew of four. As seen from the rear, the commander is to the right of the turret with the gunner forward and below him. The loader is to the gunner's left. When viewed from the rear, the driver is to the left, behind the bulk of the powerpack. A seat which folds back completely into a flat position, allows the driver relatively easy access into the fighting compartment. Whilst making it easier for the driver to bail out, the layout of his station means that there is a loss of compartmentalisation between his position and the other crew stations. In the unlikely scenario that a projectile penetrates frontal armour and powerpack into the driver's station, the rest of the crew could be considered at risk. This would come from shrapnel and fragments known as spall which are torn away from the tank's interior armour.

The Merkava's front-engined configuration allowed for a clamshell door to be positioned at the vehicles rear. The door gave a much healthier chance for a crew to disembark if their tank had been hit and begun to brew up. It certainly aided the recovery of wounded crewmen. Evacuating them from the rear door proved a simpler task under fire than dragging them through

unerreichtes Schutzniveau für die Besatzung zu erreichen, da die israelische Bevölkerung überaus empfindlich gegenüber Verlusten auf dem Schlachtfeld reagiert.

Zusätzlich fand die IDF heraus, dass es wesentlich einfacher war, beschädigte Panzer relativ schnell wieder einsatzfähig zu machen, als hierfür die entsprechenden Besatzungen zu ersetzen. Daraus resultierte die Priorität bezüglich Schutz für die Besatzungen. Entsprechende Untersuchungen wurden massiv gefördert. Abgeschossene Panzer, eigene und feindliche, wurden geborgen und sehr genau untersucht. Daten über Gefechtsschäden, einschließlich der Art des Geschosses, das den Panzer traf, Einschlagsstelle und die Wirkung des Einschlages wurden aufgenommen und zusammengetragen. Dieses Datenwerk bildete den Grundstein für die Form, die Auslegung der Panzerung, und war signifikant für die gesamte Auslegung des Kampfpanzers.

Anders als bei herkömmlichen Entwürfen befindet sich beim Merkava der Motorraum vorne und nicht hinten im Fahrzeug. Die ungewöhnliche Unterbringung der Antriebsanlage trägt dazu bei, dass Motor und Getriebe durch ihre Masse, die ohnehin schon dicke Frontpanzerung weiter verstärken. Bei einem Durchschlag durch die Frontpanzerung bleibt der Weg des Geschosses weiterhin durch die Antriebseinheit blockiert. Schwerpunkt bleibt der Schutz des Mannschaftsraumes gegenüber dem Schutz des Gesamtfahrzeuges. In der Praxis dienen Bauteile wie Antriebsanlage, Tanks, schwere Batteriekästen und das Fahrwerk auch durch ihre Anordnung zusätzlich der Optimierung des Schutzes der Besatzung. In der Verbindung aller Elemente untereinander wird so eine, in sich geschlossene, schützende Schale gebildet, deren Teile geopfert werden können, um so die Durchschlagswirkung eines Geschosses nach einem Treffer weiter zu verringern. Als Ergebnis wird ein Merkava eher seine Beweglichkeit einbüßen als derart zerstört zu werden, dass die Besatzung den Tod findet. Komplexe Analysen bezüglich Verwundbarkeit und Totalverlust wurden durchgeführt. So wurde herausgefunden, dass selbst nach einer Durchdringung der Panzerung die durchdachte Lagerung der Munition eine sekundäre Explosion dieser vermeiden kann. In einem Gespräch gab General Tal deutlich zu verstehen, dass es insbesondere der hohe Schutz der Besatzung sei, der ihn auf die Auslegung des Merkava besonders stolz macht.

Analysen über die Trefferwahrscheinlichkeit bei Panzern zeigten, dass im vorderen Bereich von etwa 60 Grad das höchste Risiko besteht. Etwa 45 Prozent aller Treffer befanden sich in diesem Bereich, öfter am Turm als an der Wanne. Direkt resultierend aus diesen Ergebnissen entstand der keilförmige Turm, eine Form, die nach vorne hin eine geringere Oberfläche und damit ein kleineres Ziel bildet.

Der Kampfpanzer Merkava hat eine Besatzung von vier Soldaten. Von hinten betrachtet sitzt der Kommandant in der rechten Turmseite, während sich der Richtschütze weiter unten vor ihm befindet. Der Ladeschütze sitzt direkt links vom Richtschützen. Wieder von hinten betrachtet sitzt der Fahrer links hinter dem Motor. Ein komplett nach hinten abklappbarer Sitz erlaubt dem Fahrer ein relativ leichtes Einsteigen. Während es dem Fahrer sehr schnell möglich ist, das Fahrzeug im Notfall zu verlassen, wird hier die Abschottung gegenüber den anderen Besatzungsmitgliedern vernachlässigt. In dem unwahrscheinlichen Fall, dass ein Geschoss sowohl die Bugpanzerung als auch den Motorraum durchschlägt, und damit in den Fahrerraum eindringt, wäre der Rest der Besatzung ebenfalls in Gefahr. Diese würde von absplitternden Teilen der Panzerung herrühren, die als Splitter oder Fragmente im Fahrzeuginnern wie Geschosse wirken.

Die Anordnung des Motorraums im vorderen Fahrzeugbereich erlaubte die Anbringung einer Einstiegstür am Heck, die sich nach oben und unten, ähnlich einer Muschel, öffnet. Diese Tür erlaubt der Besatzung ein wesentlich gefahrloseres Absitzen nach einem Treffer, wenn der Panzer innen Feuer gefangen haben sollte. Mit

drive sprocket is of course at the front rather than the back. The suspension system, in particular its wide range of road wheel travel of 604mm inclusive of bumps and rebound, allows for exceptional performance over difficult terrain. It compares favourably with the 526mm of the German Leopard 2, 558mm for the American M1 Abrams and 450mm for the British Challenger.

The heavy suspension units are made of ballistic steel and are designed to help protect the crew compartment from penetration. The independent trailing arms and bolt-on suspension units are easier to repair or replace if they suffer mine damage than the more commonly used torsion bars. However, the Merkava's heavy duty suspension units contribute towards the tank's considerable weight. When asked, with the benefit of hindsight which feature of the tank he would redesign, General Tal mentioned the suspension units. Even though they give excellent performance he would have introduced a different design, perhaps a hydro-pneumatic one, in order to save weight.[1]

The Merkava's driver has a one piece hatch which opens to the left. He is equipped with three observation periscopes, the centre one of which can be fitted with a passive night sight.

Merkava in combat

At least 70 Merkavas were being produced annually in the first couple of years after the machine had entered into service. Production slowed down in the immediate wake of the Lebanon War as the IDF's Ordnance corps concentrated on rebuilding and upgrading damaged armoured fighting vehicles (AFVs). After 1982, budgetary restrictions meant that production stabilised at around 50 machines a year.

An estimated 180-200 Merkavas were in service at the time of the 1982 Lebanon War. These were enough to equip several battalions, including those of the elite 7th Brigade. Sources differ as to whether or not the Merkava met and successfully engaged Syrian T-72s. The Israelis state that Merkavas of the 77th Battalion of the 7th Brigade engaged a formation of Soviet-built T-72s amongst the foothills of Sultan Ya'akub. It's claimed that the Merkavas destroyed 14 T-72s; this is not corroborated by independent sources. However, it is generally agreed that the Merkava did do well in combat. In particular it proved a rugged machine. Only seven Merkavas were written off in the Lebanon war, most to a storm of RPGs fired at the vehicle's rear. Israeli data showed that when their other MBTs were hit there was a 61% chance of the tank being penetrated. For the Merkava chances of penetration dropped to 41%. Perhaps more importantly, of those Centurions and Magachs (IDF-modified M48 and M60 MBTs) hit, 30% of the rounds penetrated the crew compartment. For the Merkava, the figure dropped to 13%. For those Israeli tanks other than the Merkava, some 31% of those hit caught fire. For the Merkava the figure is 15%. No Merkava suffered from secondary detonation after being set alight.[2] In addition, no Merkava crewman ended up as a burns casualty, although that is the fate of around usually some 25% of wounded tank crewmen.

Recognition Features

The Merkava 1, at least before being upgraded to Merkava 2

gleich hierzu hat der deutsche Leopard 2 lediglich einen Spielraum von 526 Millimetern, der amerikanische M1 Abrams 558 Millimeter und der britische Challenger 450 Millimeter.

Die schweren Federungseinheiten bestehen aus Panzerstahl und tragen damit zum Schutz der Besatzung bei. Die einzeln aufgehängten Schwingarme und angebolzten Federungseinheiten sind bei Minentreffern leichter zu reparieren und auszuwechseln als die zumeist verwendeten Drehstäbe. Andererseits trägt das schwere Federwerk nicht unbeträchtlich zum hohen Gewicht des Merkava bei. Auf die Frage, welches Bauteil im Nachhinein anders gestaltet werden würde, nannte General Tal die Federung. Auch wenn das genutzte Federungssystem eine ausgezeichnete Leistung zeigt, würde er heute möglicherweise eine hydro-pneumatische Federung vorziehen, um Gewicht zu sparen. [1]

Der Fahrer des Merkava verfügt über eine einteilige Luke, die sich nach links hin öffnet. Sie ist mit drei Winkelspiegeln ausgestattet, deren mittlerer durch ein passives Nachtsichtgerät ersetzt werden kann.

Der Merkava im Gefecht

In den ersten Jahren nach seiner Einführung sind jährlich etwa 70 Merkava produziert worden. Kurz nach dem Libanon-Krieg von 1982 verlangsamte sich die Fertigung, da sich das Waffenamt auf die Reparatur und Kampfwertsteigerung vorhandener Fahrzeuge konzentrierte. Finanzielle Engpässe nach 1982 ließen die Produktion auf etwa 50 Stück im Jahr sinken.

Während des Libanon-Krieges befanden sich schätzungsweise 180 bis 200 Merkava im Dienst. Dies reichte für die Ausstattung von einer Reihe von Bataillonen, einschließlich denen der 7. Brigade, aus. Unterschiedliche Quellen geben verschiedene Angaben über die Leistungsfähigkeit des Merkava im Gefecht mit syrischen T-72. Die Israelis behaupteten, dass Merkava-Panzer des 77. Bataillons der 7. Brigade eine Formation von T-72 Panzern sowjetischer Fertigung zwischen den Hügeln von Sultan Ya´akub bekämpften. Es wird dabei die Vernichtung von 14 T-72 angegeben, was aber durch unabhängige Quellen nicht bestätigt werden konnte. Nichtsdestotrotz sind sich alle Beteiligten darüber einig, dass der Merkava im Gefecht gut abschnitt.

Insbesondere erwies sich der Merkava als unverwüstlich. Lediglich sieben Merkava-Panzer mussten im Libanon-Krieg abgeschrieben werden, zumeist aufgrund von Sättigungsangriffen mit RPG-7 gegen das Heck. Israelische Daten zeigen, dass bei anderen Kampfpanzern 61 Prozent der Treffer auch durchschlugen. Beim Merkava fiel diese Zahl auf 41 Prozent. Viel wichtiger ist vielleicht die Tatsache, dass bei 30 Prozent der Treffer, die bei Centurion-Panzern und Magach-Panzern (israelisch modifizierte M48 und M60) durchschlugen, der Besatzungsraum betroffen war. Beim Merkava waren dies nur 13 Prozent. 31 Prozent der israelischen Kampfpanzer, die keine Merkava waren, fingen dabei Feuer. Beim Merkava lag diese Zahl bei 15 Prozent. Kein Merkava unterlag einer Kettenreaktion explodierender Munition nachdem er Feuer gefangen hatte.[2] Zusätzlich erlitt kein Besatzungsmitglied eines Merkava Brandverletzungen, obwohl dies gewöhnlich bei 25 Prozent der Verluste bei anderen Kampfpanzern der Fall ist.

Erkennungsmerkmale

Zumindest bevor der Merkava 1 zum Merkava 2 kampfwertgesteigert worden ist, konnte er aufgrund einiger sichtbarer Merkmale als solcher auch erkannt werden. Anfänglich fehlte ein Staukorb am Turmheck. Nach dessen Anbringung unterschied sich dieser von denen späterer Ausführungen. Der Staukorb besteht aus dicken Stahl-

standards, had a number of visual clues to its identity. Initially it lacked a turret basket. When eventually fitted, the structure of its welded steel turret basket is different to those of later machines. It is made up of heavier gage metal tubing, with a flatter cross section. To begin with, the Merkava 1 did not have the characteristic ball and chain hanging from the rear turret bustle. The baseline Merkava 1 can be recognised by its plain steel side skirts and relatively simple attachments holding them in place. The machine at first was without the typical IDF smoke dischargers. Alongside the regular exhaust grille was a small, circular exhaust port for the machines auxiliary power unit. This is no longer evident on later machines.

Early production Merkava 1s had an internally mounted 1 kW Xenon searchlight. This shone upwards, its light being reflected to its intended target by mast mounted parabolic lenses. The unwieldy design was introduced in an attempt to protect the searchlight from battle damage; it was abandoned after the introduction of better night sights had made it unnecessary. The legacy of the searchlight system can be found in the shape of a small circular panel, situated behind the loader´s hatch on the turret roof of Merkava 1, the panel is permanently welded shut.

Improving the Merkava

Before examining the various chronological improvements to the baseline Merkava, one point has to be understood. The various variants of the Merkava are not as clearly delineated as is the case in other tank projects around the world. A continuous rolling programme, upgrading earlier models of the Merkava, retro-fitting them with improvements introduced by newer built machines, has blurred distinctions between the different variants. Because of budgetary restrictions, some machines will only have a partially completed series of modifications. To compound matters, tank upgrades tended to be done in small batches. Consequently it is possible to see Merkavas of a similar build date, but with widely dissimilar levels of upgrades. Some suggested modifications and upgrades never made it into service. For instance in the Merkava Project offices there is a photo on the wall showing the hull of a Merkava 2, upon which is a wooden mock-up of a futuristic looking low-profile turret. The ongoing process of continual upgrades continues. From the projects inception right through to the era of the Merkava 4, there has been regular weekly meeting at the Merkava project office in the Kirya (Ministry of Defence) complex in Tel Aviv. The meeting brings together those who design and produce the Merkava and those soldiers who use it in the field. Glitches are discussed and solutions laboured over. By keeping a process of continual interaction between producer and user, the IDF ensures a rapid response to upgrade requirements. The procedure is assisted by the fact that many of those that now work on the Merkava project were themselves recently Merkava tank crewmen.

röhren mit abgeflachtem Querschnitt. An den ersten Ausführungen des Merkava 1 fehlten die charakteristischen unter dem Staukorb an Ketten hängenden Reihen von Stahlkugeln, der sogenannte "Ball and Chain" Kettenvorhang. Die Grundausführung des Merkava 1 kann auch an den einfachen Seitenschürzen aus Stahl und ihren simplen Befestigungen erkannt werden. Auch fehlten die für die IDF später typischen Nebelwurfbecher. Seitlich der regulären Auspuffgrätings befand sich eine kleine runde Auspufföffnung für den Hilfsgenerator, die bei späteren Fahrzeugen nicht mehr vorhanden ist.

Frühe Serienfahrzeuge des Merkava 1 verfügten über einen innen geschützt untergebrachten 1kW Xenon-Suchscheinwerfer. Nach oben leuchtend wurde sein Lichtstrahl auf das Ziel über eine, auf einem Mast befestigte, parabolische Linse projiziert. Diese umständliche Konstruktion wurde gewählt, um den Scheinwerfer vor Gefechtsschäden zu bewahren. Das System wurde nach der Einführung besserer Nachtsichtgeräte wegen fehlender Notwendigkeit wieder fallengelassen. Die Spuren des Scheinwerfers sind heute nur noch in Form einer zugeschweißten kleinen runden Öffnung hinter der Luke des Ladeschützen auf dem Dach des Merkava 1 zu finden.

Kampfwertsteigerungen

Für die Beschreibung der chronologischen Kampfwertsteigerungen beim Merkava 1 muss eine Tatsache berücksichtigt werden. Die verschiedenen Baulose beim Merkava sind nicht so klar definiert, wie es bei anderen Panzern weltweit der Fall ist. Eine fortlaufende Kampfwertsteigerung von frühen Ausführungen und die ständige Nachrüstung von Verbesserungen neuerer Modelle hat die Grenze zwischen den verschiedenen Baulosen verwischt. Aus finanziellen Erwägungen heraus haben nicht alle Fahrzeuge den gleichen Stand bezüglich Nachrüstungen. Weiterhin sind spezifische Nachrüstungen nur bei Kleinserien wirklich durchgeführt worden. Daraus ergibt sich die Tatsache, dass man Merkava-Panzer findet, deren Fertigung zwar ziemlich nahe beieinander liegt, deren Ausstattung aber erhebliche Unterschiede aufweist. Einige vorgeschlagene Verbesserungen wurden nie für Serienfahrzeuge übernommen. So gibt es beispielsweise in den Räumen des Projektbüros des Merkava ein Bild von einem Merkava 2 mit einer Attrappe eines ziemlichen flachen, futuristisch aussehenden, Turmes.

Der fortlaufende Prozess der Kampfwertsteigerungen ist noch nicht beendet. Von den Anfängen bis hin zum Merkava 4 finden wöchentlichen Besprechungen im Projektbüro des Merkava im Kirya-Komplex (Verteidigungsministerium) in Tel Aviv auch weiterhin statt. Mit diesen Besprechungen führen die Hersteller Industrie und die Soldaten, die den Merkava nutzen, zusammen Hier werden Probleme angesprochen und Lösungen ausgearbeitet. Mit Hilfe des ständigen Kontaktes zwischen Industrie und Nutzer, wird eine schnelle Reaktion auf auftretende taktische Forderungen gewährleistet. Dieser Prozess wird darüber hinaus noch dahingehend unterstützt, dass viele der industrieseitig Beteiligten selbst ehemaliger Besatzungsmitglieder dieses Fahrzeugs sind.

(1)   Author's conversation with General Tal in June 2004.
(2)   See Gabriel, Richard. Operation Peace for Galilee. Hull and Wang. New York. 1984. Page 197-198

(1)   Gespräch des Autors mit General Tal im Juni 2004.
(2)   Vergleiche: Gabriel, Richard. Operation Peace for Galilee. Hull and Wang. New York. 1984. Seite 197-198.

Broken promises. General Israel Tal (on the right) stands with a British officer in front of one of the Chieftains sent to Israel for desert trials.
Gebrochene Versprechen. General Israel Tal (rechts im Bild) zusammen mit einem britischen Offizier vor einem der britischen Chieftain Kampfpanzer, die nach Israel zur Erprobung in der Wüste geliefert worden waren.
(Tank Museum Bovington)

Merkava Prototypes / *Merkava Prototypen*

A wooden mock-up of the Merkava, turret reversed to the rear. The Collection Houses Ordnance Museum, Tel Aviv. The unusual overall concept of the tank with the wedge-shaped turret and the front-mounted engine is already recognizsable.
Ein Holzmodell des Merkava in Armeemuseum in Tel Aviv. Der Turm steht in 6-Uhr-Stellung. Das ungewöhnliche Konzept mit keilförmigem Turm und dem Antrieb vorne in der Wanne ist bereits erkennbar.
(Author)

The wooden Merkava mock-up photographed from the front. Note the bulge on the glacis, required to accommodate the powerpack. With the main danger being attacked on to the front arc of the tank, this perspective proves how well-designed the Merkava concept was from the beginning.
Das Holzmodell des Merkava Prototypen mit Blick auf den vorderen Wannenbereich. Man beachte die Erhöhung der Oberwanne, die nötig wurde, um das Antriebsaggregat unterzubringen. Da die primäre Gefährdung des Panzers im vorderen Bereich der Wanne konzentriert ist, zeigt diese Ansicht, wie gut durchdacht der Merkava-Entwurf bereits in der Planungsphase gewesen ist.
(Author)

The wooden Merkava from the rear. The large sign covering the mock-up's rear access hatch, states it was constructed at the ordnance base at Tsrifim.
Heckansicht des Merkava Holzmodells. Das angebrachte Schild erklärt, dass diese Attrappe von der Erpobungsstelle in Tsrifim erstellt worden ist.
(Author)

The front of a turret-less Merkava test mule, constructed in 1970. The front-engined mule was based upon a Centurion MBT chassis that had been widened. This vehicle can be found at the Collection Houses ordnance museum, Tel Aviv.
Der vordere Wannenbereich eines Merkava Technologieträgers der im Jahre 1970 gefertigt worden ist. Das Fahrzeug hatte bereits die Motoranordnung vorne, basierte jedoch noch auf einem verbreiterten KPz Centurion Fahrgestell. Das Fahrzeug befindet sich heute im Armeemuseum in Tel Aviv.
(Author)

The turret-less Merkava test mule photographed from the rear. Note the rear hatch intended for crew evacuation and loading of ammunition as well as the tracks and the track-tensioning system of the Centurion MBT.
Der turmlose Merkava-Technologieträger in der Heckansicht. Man beachte die einmalige Lösung der rückwärtigen Zugangsluke als Notausstieg für die Besatzung und zum Aufmunitionieren, sowie die Ketten und die Kettenspannvorrichtung des Centurion Kampfpanzers.
(Author)

Another proof-of-concept test mule, this time with a Centution turret mounted to its rear. This acted as a substitute for the weight of the design's intended turret. The mule has been displayed at the Tank Museum at Latrun.
Ein weiterer Technologieträger, hier schon mit einem Ballast-Turm eines Centurion Kampfpanzers zur Simulation des Fahrzeug-Gesamtgewichts. Dieses Fahrzeug befindand sich im Panzermuseum in Latrun.
(Author)

The Latrun test mule photographed from the front right. Note the engine exhaust grille which in an adapted form was to be a distinctive feature of the Merkava.
Ansicht des in Latrun ausgestellten Technologieträgers von rechts vorne. Beachte die Lüftungsöffnung für die Auspuffanlage. Sie sollte eines der bestimmtesten Merkmale des Merkava werden.
(Author)

The side profile of the Latrun test mule. The Centurion-type tracks, road wheels, sprocket and idler are recognisable. *Seitenansicht des Merkava-Technologieträgers in Latrun. Gut zu erkennen: Die Kette, Laufrollen, Treib- und Leitrad des Centurion Kampfpanzers.* (Author)

A view of the Latrun test mule's incomplete turret. Both the suspension and turret are from an early mark of the Centurion MBT. *Eine weitere Ansicht des Prototypen mit Teilen des Fahrwerks sowie dem Turm einer frühen Variante des britischen Centurion Kampfpanzers.* (Author)

The rear of the Latrun test mule. Note, unlike the mule at the Collection Houses Ordnance Museum Tel Aviv, it does not have a rear access hatch. *Heckansicht des Technologieträgers. Während das Erprobungsfahrzeug im Museum in Tel Aviv eine Heckluke besitzt, fehlt diese bei dem Ausstellungsstück in Latrun.* (Author)

The prototype Merkava 1 based on the test mule experiences. The vehicle is displayed at the Tank Museum at Latrun. Note the early plain-steel side skirts with three sections and the distinctive cut-outs at the rear.
Der Prototyp des Merkava 1, basierend auf den Technologieträgern, befindet sich heute im Panzermuseum Latrun. Beachte die frühen Seitenschürzen bestehend aus drei Sektionen und mit den horizontalen Ausschnitten im hinteren Bereich.
(Author)

The prototype Merkava 1 from the front.
Frontalansicht des Merkava 1 Prototypen.
(Author)

The prototype Merkava 1 from the right flank. Note how clean and uncluttered the tank's profile appears.
Der Merkava 1 Prototyp in der linken Seitenansicht. Die klare Linie des Entwurfs kommt hier gut zur Geltung.
(Author)

The prototype Merkava 1 from the rear. This view shows the lack of turret basket and demonstrates to advantage the rear exit. To the right of the hatch is a large storage compartment for vehicle batteries to the left of the exit is a storage compartment intended for the tank's NBC protection system.
Der Merkava 1 Prototyp in der Heckansicht. Noch fehlt dem Fahrzeug, im Vergleich zur späteren Serienvariante, der Staukorb am Turmheck. Die Zugangsluke am Fahrzeugheck ist klar zu erkennen. Rechts der Luke befindet sich ein Staukasten für die Fahrzeugbatterien, links für die geplante ABC-Schutzausstattung.
(Author)

The prototype Merkava 1 photographed from above. This view reveals the ingenious turret concept.
Überkopfansicht des Merkava 1 Prototypen. Das exzellente und einmalige Turmkonzept ist hier gut zu erkennen.
(Author)

On this pre-series vehicle different types of road wheels have been tested. The evolution of road-wheel types and side-skirt variants throughout the Merkava family with continous input of new advanced ideas is truly remarkable.
An diesem Vorserienfahrzeug wurden verschiedene Arten von Laufrollen getestet. Die Anzahl der eingeführten Laufrollenarten und Seitenschürzenvarianten innerhalb der Merkava-Familie, hervorgerufen durch kontinuierliche Verbesserungsmaßnahmen, ist absolut überwältigend.
(Courtesy IDF Spokesman)

Merkava 1 / *Merkava 1*

The very first production Merkava 1 displayed at the Collection Houses Ordnance Museum, Tel Aviv. This Merkava saw service in the 1982 Lebanon War and after suffering severe mine damage was transferred to the museum.
Der erste Merkava 1 der frühen Serienfertigung, heute ausgestellt im Armeemuseum Tel Aviv. Das abgebildete Fahrzeug nahm 1982 am Krieg im Libanon teil, wo es mehrere Minentreffer erhielt, danach ausgemustert und an das Museum übergeben wurde.
(Author)

The first production Merkava 1 from the rear, note the open access hatch and the sturdy turret basket. The close-up of the first production Merkava 1's open access hatch reveals a glimpse of the vehicle's stripped out interior. Note the armour thickness of the rear hatch.
Heckansicht des ersten Merkava. Der Turmstaukorb ist nun montiert und die Zugangsluke für begleitende Infanterie am Fahrzeugheck ist geöffnet. Ein genauerer Blick zeigt die erstaunliche Panzerung der Heckluke und zeigt, dass das Ausstellungsstück innen nicht mehr vollständig ist.
(Author)

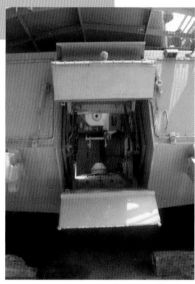

The first production Merkava 1 from the front right. Note the scalloped edges of the two-part plain-steel side-skirts with seven sections. The attachment points for the side skirts differ to those fitted to the prototype Merkava. The cut-outs on the rear of the prototype's side skirts are gone.
Der erste Merkava der Serienfertigung in der Ansicht von rechts. Man beachte die zweiteiligen geschwungenen Seitenschürzen aus sieben Sektionen und deren Befestigungspunkte, die sich von denen des Prototypen deutlich unterscheiden. Die Aussparungen an den letzten Seitenschürzen des Prototypen sind nicht mehr vorhanden.
(Author)

The Merkava production line showing Merkava 1s being assembled in November 1980. Note details of the stowage boxes integrated into the rear upper-hull as well as the side-skirt supports visible between the road-wheel stations. The road-wheels are of the standard-type for series-production Merkava 1's .

Werksfoto der Merkava 1 Serienfertigung im November 1980. Beachte die, in die hintere Oberwanne integrierten, Staukästen und die Halterungen der Seitenschürzen zwischen den Laufrollen. Die Laufrollen selbst sind die vom Standardtyp, üblich für Merkava 1 der Serienfertigung.
(Moshe Milner, courtesy of the Israeli Government Press Office).

Milling machines at the Merkava plant Tel Ha Shomer.
Fräsmaschinen zur Teilefertigung im Merkava-Werk Tel Ha Shomer.
(IDF courtesy Chris Foss)

Turrets being manufactured at Plant 7100. The photograph was taken in the summer of 1982. The turret stowage-baskets are yet to be fitted allowing a clear view on to the design of the turret´s rear.
Turmfertigung im Werk 7100 im Sommer 1982. Die Turmstaukörbe sind noch nicht angebracht und erlauben somit einen guten Blick auf die Auslegung des Turmheckbereichs.
(Ya'akov Sa'ar, courtesy of the Israeli Government Press Office)

An overview of the Merkava production line from above.   *Blick in die Werkshalle mit laufender Merkava Serienproduktion.*   (IDF, courtesy Chris Foss)

Standard-production Merkava 1 facing right. Note the narrow wedge shaped exhaust associated with early machines. The tank has a turret basket and neat, integral storage panniers built in above its rear tracks. Typically the turret basket has been filled with a large amount of kit.
Merkava 1 der Serienfertigung. Die Auspuffanlage ist typisch für die Serienfahrzeuge. Der Turmstaukorb ist angebracht und weitere Staumöglichkeiten sind im seitlichen Heckbereich der Wanne vorhanden. Typischerweise werden alle Staumöglichkeiten durch die Besatzung gut genutzt.
(IDF courtesy Chris Foss)

A Merkava 1 photographed facing left. From this angle the machine looks low and sleek. A manual trigger for the emergency fire extinguishing system can be seen directly above the exhaust outlet. Note the massive lifting-hooks attached to the turret´s flanks.
Das gleiche Fahrzeug von der linken Seite. Die niedrige Silhouette des Gesamtkonzepts kommt gut zur Geltung. Direkt über dem Auspuff ist der externe manuelle Auslöser der Feuerlöschanlage für den Motorraum zu erkennen. Man beachte die massiv ausgelegten Hebeösen an den Flanken des Turmes.
(IDF courtesy Chris Foss)

A line up of late model, upgraded Merkava 1s at Tel Ha Shomer, December 2002. Note the new special armour side-skirts now with ten sections and the distincitve cut-outs on the rear missing. The exhaust-outlet is of the newer and larger type, too.
Merkava 1 Kampfpanzer nach der Modernisierung im Tel Ha Shomer Depot im Dezember 2002. Beachte die neuen, nun aus zehn Sektionen bestehenden Komponenten der Seitenschürzen aus glattem Stahl. Die bekannte Aussparung am Heckbereich fehlt bereits und die Auspuffanlage ist nun größer dimensioniert. (Author)

A cluster of upgraded Merkava 1s, December 2002, having just undergone extensive re-working and modernisation.
Merkava 1 Kampfpanzer, die bereits einer Grundüberholung sowie Modernisierungs-stufen unterzogen worden sind, aufgenommen im Dezember 2002.
(Author)

An upgraded Merkava 1. Note the larger exhaust panels and special armour side skirts associated with the Merkava 2.
Ein modernisierter Merkava 1. Beachte die größere Motor-Abluftanlage und die gepanzerten Seitenschürzen des Merkava 2.
(IDF)

A Merkava 1 in the El-Baas refugee camp near Tyre in Lebanon, Operation "Peace for Galilee", June 1982. The Merkava 1 main battle tanks did exceptionally well during their baptism of fire. An estimated 180-200 Merkavas were in service at the time of the 1982 Lebanon War. These were enough to equip several battalions, including those of the elite 7th Brigade.

Ein Merkava 1 im El-Baas Flüchtlingslager nahe Tyre im Libanon während Operation "Frieden für Galiläa" im Juni 1982. Der Merkava 1 zeigt sich während seiner Feuertaufe allen Lagen gewachsen. Ungefähr 180-200 Merkava 1 waren während des Libanon-Krieges 1982 bereits im Dienst. Ausreichend viel, um mehrere Bataillone, einschließlich der elitären 7. Brigade, zu füllen.

(Courtesy IDF Spokesman)

A Platoon of upgraded Merkava 1s laying down smoke during battalion manoeuvres in 1987.

Ein Zug Merkava 1 legt einen Nebelvorhang während Manövern auf Bataillonsebene im Jahre 1987.

(Courtesy "Israeli Tanker")

As late as December 2002, upgraded Merkava 1s were still in service with the IDF. This was one of a batch awaiting further modernisation at Tel Ha Shomer ordnance base.

Noch im Dezember 2002 befanden sich modernisierte Merkava 1 im aktiven Truppendienst der israelischen Armee. Der hier gezeigte wartet im Tel Ha Shomer Depot auf weitere Modernisierungs-stufen.

(Author)

This photo, taken on the Golan Heights October 1994, typifies the difficulty in identifying various marks of the Merkava. The tank is a hybrid, its turret being typical of the Merkava 1, but the hull exhibits features of the Merkava 2. Note the large main engine-exhaust grille of the type associated with the Merkava 2, but the separate, circular exhaust for the auxiliary power unit found on Merkava 1s. The side-skirts are of the ten-section type, but now show two horizontal lines of bolts. On the first section the distinctive "sling"-shaped mount of this type of side skirts is visible.

Dieses Foto, aufgenommen auf den Golan-Höhen 1994 ist ein typisches Beispiel, wie schwierig es ist, die verschiedenen Baulose des Merkava exakt zu differenzieren. Das abgebildete Fahrzeug ist ein Hybrid-Merkava mit dem typischen Turm eines Merkava 1, zeigt aber bereits Wannendetails des Merkava 2. Die Abdeckung des Motor-Hauptlüfters ist bereits identisch zum Merkava 2, während die kleine runde Öffnung für das Zusatzaggregat noch immer identisch zum Merkava 1 ist. Die Seitenschürzen sind wiederrum aus zehn Sektionen aufgebaut, haben aber nun zwei horizontale Reihen mit Bolzen. Die vorderste Schürze führt die typische "Schlaufe" dieser Seitenschürzen-Variante.

(Courtesy of Thomas Antonsen)

The hybrid Merkava, note the improved side skirts, with special armour cladding and more robust mounts. Photographed on the Golan Heights October 1994,
Der Hybrid-Merkava zeigt verbesserte Seitenschürzen mit spezieller Panzerung und robustere Befestigungspunkte. Das Foto wurde im Oktober 1994 auf den Golan-Höhen aufgenommen.
(Courtesy of Thomas Antonsen)

The hybrid Merkava generating smoke. Photographed on the Golan Heights October 1994. *Der Hybrid-Merkava beim Einsatz seiner Rauchmittel auf den Golan-Höhen im Oktober 1994.* (Courtesy of Thomas Antonsen)

A fine view of the hybrid Merkava in side profile photographed on the Golan Heights October 1994.
Schöne Seitenansicht des Hybrid-Merkava, aufgenommen auf den Golan Höhen im Oktober 1994.
(Courtesy Thomas Antonsen)

A close up of the Merkava 2 style engine exhaust. However, to its right note the Merkava 1 type small circular exhaust for the auxiliary power unit.
Nahaufnahme der Merkava 2 Motorabluftgrätings. Man beachte, dass die runde Abluftöffnung des Zusatzgenerators des Merkava 1 immer noch davor eingebaut ist.
(Courtesy Thomas Antonsen)

This picture of the hybrid Merkava shows the turret basket and balls and chain devices which protect the shot trap below the rear of the turret bustle. The new type of side skirts show no cut-outs on the rear sections. Note the "sling"-type attachment points.
Heckansicht des Hybrid-Merkava mit dem "Ball and Chain" Kettenvorhang, der die Geschossfangstelle unter dem Turmstaukorb eliminiert. Die neuen Seitenschürzen haben keine Ausschnitte in den hinteren Sektionen mehr. Beachte auch die "schlaufenförmigen" Halterungen.
(Courtesy Thomas Antonsen)

Looking up at the hybrid Merkava's turret. Note the Shimshonit textile covers for the IS-6 smoke grenade dischargers.
Der Turm des Hybrid-Merkava mit der IS-6 Nebelmittelwurfanlage, die hier mit Shimshonit Stoffabdeckungen versehen ist.
(Courtesy Thomas Antonsen)

Looking down at the front of the wedge-shaped turret of the hybrid Merkava.
Die Turmvorderfront des hybriden Merkava. Die keilförmig zulaufende Blende wird hier sehr deutlich.
(Courtesy Thomas Antonsen)

To the left is the armoured housing for the gunner's sights, its cover in the open position. Above is the commander's MG mount. To the right of the MG mount is a square armoured box where one of the commander's episcopes would normally be. It is surmised that this might have been part of an experimental electro-optical sight for the commander. The commander's periscope is to the right of the mystery box.
Links die gepanzerte Öffnung für die Richtschützenoptik, darüber das MG des Kommandanten. Rechts des MGs ein gepanzerter Behälter in dem sich üblicherweise das Episkop des Kommandanten befindet. Die Vermutung liegt nahe, dass es sich an diesem Fahrzeug um eine experimentelle elektro-optische Zieloptik für den Kommandanten handelt. Die normale Zieloptik des Kommandanten befindet sich rechts des mysteriösen Behälters.
(Courtesy Thomas Antonsen)

Looking down on to the commander's hatch on the left, and the loader's to the right. The slender wand between the two open hatches is a Moked laser warning detector.
Die Oberseite des Turmes mit der Kommandantenkuppel auf der in Fahrtrichtung rechten Seite, und der Ladeschützenluke im linken Bereich. Die zwischen den aufgeklappten Luken zu sehende Stange trägt den Moked Laser-Warnempfänger.
(Courtesy Thomas Antonsen)

A close up of the hybrid Merkava's turret basket. Note the spare track link fitted to the rear of the turret.
Der Heckstaukorb in der Ansicht von oben. Beachte die Anbringung des Ersatzkettengliedes am Turmheck. (Courtesy Thomas Antonsen)

View of the mine roller attachments on the tanks front.
Details der Halterung für das Minenroller-Räumsystem am Bug.
(Courtesy Thomas Antonsen)

MERKAVA - A History of Israel's Main Battle Tank
43

A Merkava 1 fitted out for RKM type mine rollers.
Ein Merkava 1 mit den angebrachten Halterungen für ein RKM Minenrollen-Räumsystem.
(Courtesy Thomas Antonsen)

The rear of the hybrid Merkava. Tactical markings are incomplete. However, the Hebrew character (Gimel) and the three horizontal bars, suggests that the tank belongs to C platoon of third company.
Heckansicht des Hybrid-Merkava. Die angebrachten taktischen Zeichen sind nicht vollständig. Das sichtbare hebräische Schriftzeichen (Gimel) und die drei horizontalen Balken indizieren jedoch den C-Zug einer Panzerkompanie.
(Courtesy Thomas Antonsen)

A close up of the hull and turret of another hybrid Merkava 1. Note the Merkava 2 engine exhausts and the Merkava 1 turret. Of interest is the slender wand of the Moked laser warning sensor on the turret roof. Storage panniers are neatly incorporated into the vehicle´s hull, directly above the rearmost sections of the side skirts. Photographed in 2002.
Details der Wanne und des Turmes eines weiteren Hybrid-Merkava, aufgenommen im Jahre 2002. Die Motorabluftgrätings stammen vom Merkava 2, während ein Merkava 1 Turm montiert ist. Auch hier gut zu erkennen: die Stabhalterung des Moked Laserwarnempfängers im hinteren Bereich des Turmdaches. Beachte die Staukästen, über den hinteren Seitenschürzen in die Wannenseiten eingepasst.
(Author)

Two more hybrid Merkavas exhibiting features of both the Merkava 1 and 2. The hull is that of the Merkava 2, in this case, even the circular exhaust port of the auxiliary power unit has been plated over. However, the turret is that of the Merkava 1, lacking the appliqué special armour to the turret sides. Photographed in 2002.
Zwei weitere Hybrid-Merkava aus dem Jahre 2002, die Baugruppen sowohl des Merkava 1 als auch des Merkava 2 enthalten. Die Wanne ist hier vom Merkava 2, und sogar die Öffnung für den Zusatzgenerator ist bereits abgedeckt worden. Der Turm ist jedoch immer noch in der Ausführung des Merkava 1 und hat noch nicht die Zusatzpanzerung. (Author)

breech-block assembly incorporates an automatic primer feeding system. An automatic loading system ensures a maximum rate of sustained fire of nine rounds per minute, or a burst of three rounds in the first 15 seconds. 60 rounds are in reach of the automatic loader while 15 further rounds are stored elsewhere within the vehicle. Charges are loaded manually while the ignition primers are inserted automatically. Aiming and firing is designed for autonomous operations. All systems have a manual back-up. Thus, the loading system may be operated by three crewmembers partly or completely manually ensuring a continuous rate of fire of four rounds per minute.

The Sholef had also been provided with an impressive direct-fire capability for self defence against ground targets. The author has seen video footage of a Sholef successfully engaging in swift succession four target AFVs, with flat trajectory rapid fire.

Combat range of the Sholef is farther than 40,000 metres, firing an ERFB-BB (Extended-Range Full Bore - Base Bleed) projectile. Both ordnance and recoil system are derived from proven components used by towed systems in service with the IDF. Standard equipment includes an overpressure NBC protection system, an inertial navigation system and night vision equipment. For self-defence at least two 7.62mm machine guns are installed on the turret roof. Dimensions are: length 1,100 centimetres, width 370 centimetres and height 340 centimetres.

Despite high hopes for the Sholef, the IDF decided not to order it; instead adopting the US-manufactured MLRS artillery missile system. Soltam has so far been unsuccessful in attracting foreign sales, despite offering to sell the turret and weapon system separately from the hull. One potential customer is India which examined the turret with the intend of fixing it to its Arjun or T-72 MBTs.

The IDF was proud of the Sholef and it is notable that at least one of the prototypes is still kept in storage at Tel Ha Shomer ordnance base.

Stellung das Fahrzeug nicht verlassen muss. Turmschwenkwerk, wahrscheinlich mit einem Seitenrichtbereich von 360 Grad, und Rohrhöhenrichtwerk sind hydraulisch gesteuert und verfügen über eine manuelle Notbedieneinrichtung. Der halbautomatische Verschlussblock beinhaltet eine automatische Zündereinstelleinrichtung. Der automatische Lader ermöglicht ein kontinuierliches Feuer von neun Schuss in der Minute oder einen Feuerschlag von drei Schuss in den ersten 15 Sekunden. 60 Patronen befinden sich in Reichweite des automatischen Laders und 15 weitere sind anderweitig im Fahrzeug verstaut. Die einzelnen Ladungen werden manuell zugeführt, wobei die Einführung der Treibladungszünder automatisch erfolgt. Die Richt- und Zieleinrichtungen sind für einen unabhängigen Einsatz konzipiert. Alle Einrichtungen werden durch einen manuellen Notbetrieb ergänzt. Deshalb könnten drei Besatzungsmitglieder die Ladeeinrichtung per Hand oder halbautomatisch weiter betreiben und dabei eine Schussabgabe von vier Schuss in der Minute garantieren. Zum Eigenschutz verfügte Sholef auch über eine imposante Leistung im direkten Richten auf Bodenziele. Der Autor konnte einen Videofilm einsehen, der eine Sholef-Haubitze zeigt, wie sie in schneller Folge vier Panzerfahrzeuge mit Flachfeuer bekämpfte.

Die Reichweite von Shelef beträgt mehr als 40.000 Meter mit einem ERFB-BB (Extended-Range Full-Bore Base-Bleed) Geschoss. Sowohl die Waffe als auch das Rückführsystem sind von bewährten Bauteilen bereits bei der IDF eingeführter gezogener Geschütze abgeleitet worden. Zur Standardausstattung gehören eine ABC-Schutzbelüftungsanlage, Trägheitsnavigation sowie Nachtsichtgeräte. Zum Eigenschutz sind mindestens zwei 7,62 mm Maschinengewehre auf dem Turmdach montiert worden. Die Abmessungen betragen: Länge 1.100 cm, Breite 370 cm und Höhe 340 cm.

Trotz der hoch angesetzten Hoffnung von Seiten Soltams entschied sich die IDF gegen eine Beschaffung und wählte stattdessen das amerikanische Artillerieraketensystem MRLS. Seitdem bietet Soltam erfolglos Turm und Waffe für den Export an. Ein möglicher Exportkunde könnte Indien werden, das den Turm untersuchte und wahrscheinlich beabsichtigt, diesen auf ein Arjun- oder T-72-Fahrgestell zu setzen. Die IDF war auf das System Sholef besonders stolz und es muss betont werden, dass sich wenigsten ein Prototyp immer noch im Depot von Tel Ha Shomer befindet.

An alternate view of the two Sholef prototypes. At least one of the machines still exists, kept in storage at Tel Ha Shomer.
Die beiden Sholef Prototypen aus einer anderen Perspektive. Zumindest eines der beiden Versuchsmuster ist immer noch im Tel Ha Shomer Depot eingelagert. **(IDF)**

- 4 -
The Merkava 2 MBT
Kampfpanzer Merkava 2

Battlefield lessons

In the light of battlefield lessons from the 1982 war, a number of survivability enhancements were made to the Merkava. The improved machine, the Merkava 2, entered service in 1983. A series of relatively small modifications carried out to the machine through 1984, primarily to do with its FCS saw some authorities referring to the modified tank as the Merkava 2A. However, the principal variant of the Merkava 2, the 2B, entered service in 1985. The Merkava 2B incorporated further upgrades to its armour configuration, FCS and powerpack.

 From its introduction, the Merkava 2 incorporated better ballistic protection. Special appliqué armour panels were mounted on the Merkava´s flanks, turret and glacis. Particular attention appears to have been given to an area around the engine air intake, alongside the driver´s position. In addition a number of chains, weighted down with metal balls, were fitted at the rear of the turret bustle. These act as stand-off armour, detonating or damaging the warheads of RPGs before they can impact on the shot trap at the rear of the turret.

Survivability was further enhanced by the installation of a Spectronix explosion-suppression system in the crew compartment. The system was retro-fitted to earlier machines as they went through maintenance cycles. The Spectronix system has three detectors linked to four inert gas tanks, when activated these instantly extinguish any fire. As a measure of its effectiveness, in the case of Merkavas which have been disabled by enemy action, until an incident along the Lebanon border in autumn 1997, not one Merkava crewman suffered from burns.

Further measures taken to protect the tank and its crew included the fitting of two IMI CL-3030 smoke grenade launchers, one at each side of the turret front. In addition, like the Merkava 1, an overpressure NBC protection system is provided for the crew.

Extensive external stowage is a characteristic of all Merkavas. This has both its advantages and disadvantages. Along with integral storage panniers along the turret roof and hull flanks, externally mounted baskets and their contents acts as a type of appliqué armour, prematurely detonating HEAT warheads.

A characteristic of all Merkavas is the large basket, manufactured from ballistic-grade steel, fitted to the rear of the turret bustle. The basket originated with late model Merkava 1s and

Kampferfahrungen

Angesichts der Erfahrungen beim Kampfeinsatz des Merkava im Libanonkrieg von 1982 wurden einige Verbesserungen in Punkto Überlebensfähigkeit eingebracht. Das leistungsgesteigerte Fahrzeug Merkava 2 kam 1983 in die Truppe. Eine Reihe von begrenzten Kampfwertsteigerungsmaßnahmen, die hauptsächlich das Feuerleitsystem betrafen und 1984 durchgeführt worden sind, ließen bei einigen offiziellen Stellen die Bezeichnung Merkava 2A aufkommen. Die Hauptvariante des Merkava 2 ist jedoch der Merkava 2B, der 1985 zur Truppe kam. Der Merkava 2B beinhaltete weitere Kampfwertsteigerungen bezüglich Panzerung, Feuerleitung und Antrieb.

Von seiner Einführung an verfügte der Merkava 2 über einen verbesserten ballistischen Schutz. Spezielle Zusatzpanzerungselemente befinden sich vorne, an den Seiten und oben auf dem Dach. Besondere Aufmerksamkeit erhielt der Bereich um die Lufteinlässe neben dem Fahrer. Zusätzlich wurde hinten am Turm unter dem Staukasten eine durchgehende Reihe von, mit Stahlkugeln beschwerten, Ketten (der sogenannte "Ball and Chain" Kettenvorhang) angebracht. Diese agieren als Abstandspanzerung, die Gefechtsköpfe von RPGs entweder beschädigen oder zur Explosion bringen bevor sie die Fangstelle für Geschosse in diesem Bereich erreichen.

Die Überlebensfähigkeit wurde weiterhin durch die Installation einer Explosionsunterdrückungsanlage von Spectronix im Mannschaftsraum erhöht. Diese Anlage wurde in ältere Fahrzeuge während anstehender Wartungsintervalle nachgerüstet. Die Spectronix-Anlage verfügt über drei Wärmefühler, die mit vier Edelgasflaschen verbunden sind, die bei Auslösung ein Feuer sofort löschen. Als Maßstab für die Effizienz dieser Anlage gilt, dass bis zu einem Grenzzwischenfall zum Libanon im Herbst 1997 kein einziges Besatzungsmitglied von außer Gefecht gesetzten Merkava-Panzern Verbrennungen erlitten hat.

Weitere Maßnahmen, die den Schutz der Besatzung erhöht haben, beinhalten die Integration von insgesamt zwei Nebelmittelwurfanlagen des Typs IMI CL-3030 an den Turmseiten. Wie beim Merkava 1 ist darüber hinaus auch eine ABC-Schutzbelüftungsanlage eingebaut worden, die auf Überdruck basiert.

Umfangreiche Verstauung von Ausrüstung außen am Fahrzeug ist ein Merkmal aller Merkava-Panzer. Dies hat sowohl Vorteile als auch Nachteile. Zusammen mit den integralen Staufächern auf dem Turmdach und an den Seiten des Fahrzeuges wirken außen angebrachte Staukörbe und deren Inhalt als eine Art von Zusatzpanzerung, die HEAT Gefechtsköpfe vorzeitig auslösten. Ein Merkmal aller Merkava-Panzer ist der große, aus beschuss-sicherem Stahl gefertigte, Turmstaukorb. Dieses Staufach tauchte zuerst bei späten Losen des Merkava 1 auf, wurde schnell bei früheren Fahrzeugen nachgerüstet und wird für die persönliche Ausrü-

was rapidly retrofitted to earlier machines. This is used to carry the crews´ personal kit, along with such devices as camouflage covers, folding stretchers etc. A downside of the large turret basket is that it increases the visible battlefield signature of the Merkava´s turret when viewed from the side. The IDF has been slow to appreciate that when facing an enemy with sophisticated sensors, then the abundant external stowage affects stealth.

To each side of the rear exit hatch, there are folding stowage baskets made up of perforated armoured steel mesh. These stowage baskets originated on the Merkava 3, but from the early 1990s were fitted to most Merkava 2s. The stowage baskets are hinged, allowing access to the storage panels for the NBC system and battery packs. The top rim of the stowage baskets are attached to the top of the hull deck, but the bottom of the baskets hang freely. This allows the baskets to fold upwards like a concertina, should they come in contact with the ground when the tank is climbing a steep slope. The baskets incorporate a quick release mechanism, allowing their contents to be dumped in a hurry if necessary. The armoured steel mesh used in the stowage basket´s construction and indeed the contents of the stowage baskets themselves, act as a useful further layer of stand-off armour. This attention to detail is typical of the care taken in protecting the crew of the Merkava.

A number of redesigns of the side skirts were carried out over the years and were retrofitted to Merkava 1s as part of their maintenance cycle. The original steel-armour skirts, made up of three large sections a side, proved too unwieldy. This original design had cut-outs in their top sides. The cut-outs acted as integral hand holds but this design feature was subsequently dropped. The replacement side skirts are made up of smaller, more manageable, albeit heavy sections. A transitional type was fitted to Merkava 1s and early Merkava 2s, each made up of five sections per side. Each section was hinged in the middle. Later side skirts, initially fitted to the Merkava 2B, incorporated revised special armour. These skirts can be recognised by horizontal lines of heavy riveted bolts. They are fitted with a new design of heavyweight, spring mounted hinges which attach to the vehicle's flanks. The hinges allow a degree of movement in the side skirts. With the original fixed design of mount for the skirts, mud built up to an extent that the tracks were in danger of being thrown.

Late model Merkava 2s starting with the Merkava 2B were fitted with a rudimentary but effective laser warning receiver. The system used was known as Third Eye, although sometimes referred to by the name of its manufacturer, Moked (Focus). Third Eye alerted the crew that their tank had been painted with a targeting or range finding laser. In addition the system can detect the beams of infra-red searchlights. When a laser or infra-red threat is detected by Third Eye, then an audible warning is sounded down the tank's internal intercom system. In addition, the commander has a simple display upon which flashing LEDs indicate the direction for where the threat originated. It is possible to tell if a Merkava has been retro-fitted with Third Eye by checking if there is a single, slender 45cm sensor wand mounted to the rear of the turret.

Improving protection continued to be a driving force for ongoing modifications to the Merkava 2. In the early 1990s, some Merkava 2s were fitted with an extra layer of armour on the turret roof. This followed incidents when Hezbollah guerrillas had fired down from hill side positions, targeting the turret roofs of

stung der Besatzung sowie für Tarnmaterial, Krankentragen usw. genutzt. Ein Nachteil des großen Stauraumes am Turmheck ist die markante visuelle Signatur der Merkava Turmseiten. Die IDF ist in dieser Hinsicht recht langsam gewesen diesen Umstand zu berücksichtigen, denn wenn sie auf einen fortgeschrittenen Gegner mit der entsprechenden Sensorausstattung treffen wird, beeinträchtigt der große Turm die Signatur des Gesamtfahrzeuges nachteilig.

Beiderseits der Hecktür befinden sich ausklappbare Staukörbe aus gelochten Panzerstahlblechen. Diese Art Staukorb stammt ursprünglich vom Merkava 3 und wurde in den frühen 1990er Jahren bei den meisten Merkava 2 nachgerüstet. Diese Staukörbe verfügen über Scharniere und bieten dahinter Zugang zur ABC-Schutzbelüftungsanlage und den Batterien. Die Oberkante des Staukorbes ist am Wannendeck befestigt, während der Boden frei hängt. Damit wird sichergestellt, dass der Korb nach oben hin wie eine Ziehharmonika zusammengeschoben werden kann, falls dieser in steilem Gelände Bodenberührung bekommen sollte. Der Korb verfügt über einen Schnell-Lösemechanismus, um sich bei Notwendigkeit seines Inhaltes zügig zu entledigen. Die gelochten Panzerstahlbleche sowie der Inhalt des Korbes dienen dabei als zusätzliche Schicht von Abstandspanzerung. Diese Art von ins Detail gehender Aufmerksamkeit zum Schutz der Besatzung ist typisch für den Merkava.

Eine ganzen Reihe von Modifikationen unterlagen über die Jahre hinweg die Seitenschürzen, die während anstehender Wartungsintervalle auch bei Merkava 1-Panzern nachgerüstet worden sind. Die ursprünglichen schweren Panzerschürzen, bestehend aus drei großen Sektionen auf jeder Seite, erwiesen sich als zu unhandlich. Die oberen Sektionen hatten dabei zunächst Aussparungen, die als integrierte Handgriffe dienten, später aber wieder weggelassen worden sind. Die neuen Seitenschürzen bestehen aus leichten und besser zu handhabenden Sektionen, die aber immer noch relativ schwer sind. Eine Übergangslösung waren Seitenschürzen, bestehend aus fünf Sektionen, die beim Merkava 1 und frühen Merkava 2 zu finden sind. Jede Sektion verfügte hier in der Mitte über ein Scharnier. Spätere Seitenschürzen, die zuerst beim Merkava 2B auftraten, beinhalteten eine spezielle Panzerung. Diese Schürzen können an den horizontal angebrachten Reihen von schweren Nieten erkannt werden. Sie sind mit einem, mit einer schweren Feder unterstützen, Scharnier ausgestattet, das sich an der Fahrzeugseite befindet. Die Scharniere erlauben eine begrenzte Bewegungsfreiheit der Seitenschürzen. Mit den ursprünglichen fest montierten Schürzen bestand die Gefahr der Akkumulierung von Schmutz derart, dass das Risiko des Kettenwerfens bestand.

Späte Baulose des Merkava 2, beginnend mit dem Merkava 2B, wurden mit einer einfachen aber wirkungsvollen Laserwarnanlage ausgestattet. Die Anlage ist unter der Bezeichnung "Drittes Auge" bekannt, doch wurde es auch manchmal mit dem Namen des Erzeugers Moked (Focus) bedacht. Das "Dritte Auge" warnt die Besatzung, wenn das Fahrzeug von einem Zielbeleuchter oder einem Laser-Entfernungsmesser anvisiert worden ist. Zusätzlich können die Strahlen von Infrarot-Suchgeräten erkannt werden. Wenn ein Laser- oder IR-Strahl vom "Dritten Auge" erkannt worden ist, wird ein Audiowarnsignal über die Bordsprechanlage des Panzers ausgelöst. Zusätzlich verfügt der Kommandant über ein LED (Light Emitting Diode) Sichtgerät, das die Richtung der Bedrohung anzeigt. Es ist möglich zu bestimmen, ob ein Merkava mit dem "Dritten Auge" nachgerüstet worden ist, wenn man auf einen 45 Zentimeter langen stabähnlichen Sensor am Turmheck achtet.

Die Erhöhung des Schutzes blieb auch eine der führenden Überlegungen bei der weiteren Modifikation des Merkava 2. In den frühen 1990er Jahren sind einige Merkava 2 mit einer zusätzlichen Panzerungsschicht auf dem Turmdach versehen worden. Dies war eine direkte Reaktion auf Angriffe von Hisbollah-Kämpfern, die aus überhöhten Stellungen, z.B. von Hügeln, auf den Turm von Kampfpanzern zielten. Zusätzlich bietet diese Panzerung damit einen Schutz gegen eine neue Generation von Panzerabwehr-Lenkflugkörpern, die sich direkt gegen die Turmoberseite richten.

MBTs. In addition, the extra armour helped protect against new generation ATGMs which flew a top attack profile.

A further upgrade of armoured protection which was to fundamentally change the appearance of some Merkava 2s took place in the late 1990s. The upgrade was triggered in autumn 1997 after three Merkava 2s were knocked out by Hezbollah guerrillas. The tanks were penetrated by ATGMs fitted with tandem warheads which impacted at the junction of the vehicles turret and hull. It appeared that a layer of additional roof armour alone was insufficient to meet the ATGM threat. The IDF responded rapidly. Advanced armour modules were fitted to the turret sides and the side skirts were extended upwards to protect the turret/hull junction. Further heavy armour was added on the glacis, offering further protection for the driver's position. The modernised machines are usually known as the Merkava 2B Dor Dalet (literally meaning fourth generation, a reference to the tank's type of modular armour). Within the IDF the machine is referred to as the Merkava 2 BATASH. BATASH is an acronym taken for the Hebrew words bitachon shotef, meaning continuing security. Merkava 2 BATASH is likely to be the more accurate designation, as it is not certain that the armoured modules fitted in this particular upgrade actually contain 4th generation level protection. Whilst the modules used on the Merkava 2 BATASH resemble in appearance those used on the latest variants of Merkava 3, they are composed of different ballistic materials. Unlike later models of the Merkava where the new armour modules are effective against both HEAT and KE attack; those fitted to the Merkava 2 BATASH are optimised for defeating heavy HEAT charges such as those fitted to modern ATGMs. Only a limited number of Merkava 2Bs were reconfigured as the Merkava 2 BATASH. The latter was a response to an operational need along the Lebanese border; the 2B remains the predominant Merkava variant.

The Merkava 2 BATASH as fitted with the new modules loses its wedge shaped turret profile when viewed from the front. However, in the author's opinion, it is perhaps the most aesthetically harmonious of all the Merkava models.

Improving lethality

The Merkava 2A, which appeared around 1984, was fitted with the enhanced Matador 2 FCS, incorporating a more modern range-finding laser and ballistic computer. Improved cross wind and meteorological sensor masts were fitted as standard. The Merkava 2B, which entered service in 1985, was fitted with a thermal imaging channel for the gunner's sights improving night combat capability. The FCS had some initial hiccoughs which degraded its performance. Although now fully functional and having an excellent reputation, in the early months of service the Matador 2 was plagued with problems. Merkava 2 crews found to their consternation that elderly Centurions had better gunnery accuracy.

Israel diverges from most other tank manufacturers in the arrangement of the commander's sights. Most tank manufacturers install a rotating cupola, mounting a number of x1 magnification periscopes and a binocular primary vision sight. Like the Germans, the IDF prefer a fixed ring of unity-power periscopes, five in the case of the Merkava and a monocular, rotating periscope. The Merkava commander has an externally mounted monocular periscope which has a zoom function, magnifying images from

Eine weitere Leistungssteigerung beim Panzerschutz wurde durch eine grundlegende Änderung des Aussehens bei einigen Merkava 2 bewirkt, die in den späten 1990er Jahren durchgeführt worden ist. Diese war begründet durch den Verlust von drei Merkava 2 im Herbst 1997 durch Hisbollah-Guerillas. Die Panzer waren von Panzerabwehr-Lenkwaffen mit Tandemgefechtsköpfen erfolgreich im Bereich zwischen Turm und Wanne durchschlagen worden. Es schien, dass die Verstärkung der Turmdachpanzerung angesichts der Bedrohung durch Panzerabwehr-Lenkflugkörper nicht ausreichte. Die IDF reagierte schnell. Fortgeschrittene Panzerungsmodule wurden an den Turmseiten angebracht und die Seitenschürzen reichen nun über die Fahrwerkseiten hinaus und verdecken damit die Fangstellen zwischen Turm und Wanne. Auch die Frontpanzerung wurde weiter verstärkt um den Schutz des Fahrers zu verbessern. Diese kampfwertgesteigerten Fahrzeuge sind unter der Bezeichnung Merkava 2B Dor Dalet bekannt geworden, was wörtlich übersetzt "Vierte Generation" bedeutet, ein Hinweis auf die neue modulare Panzerung. Innerhalb der IDF war der Panzer bekannt als Merkava 2 BATASH. BATASH leitet sich von den hebräischen Worten bitachon shotef ab, die für "fortlaufende Sicherheit" stehen. Merkava 2 BATASH würde damit die genauere Bezeichnung sein, da es nicht unbedingt sicher ist, dass die, bei dieser Kampfwertsteigerung montierten, Panzerungsmodule tatsächlich einen Schutz der vierten Generation beinhalten. Während die Panzerungsmodule, die beim Merkava 2 BATASH benutzt werden, äußerlich denen der letzten Variante des Merkava 3 ähneln, beinhalten sie doch andere ballistische Materialien.

Im Unterschied zu den Modulen der späteren Merkava-Varianten, die einen effektiven Schutz gegen sowohl HEAT als auch KE-Geschosse bieten, sind die beim Merkava 2 BATASH verwendeten Module auf die Abwehr schwerer HEAT-Gefechtsköpfe optimiert, die bei modernen Panzerabwehr-Lenkflugkörpern verwendet werden. Nur eine begrenzte Anzahl von Kampfpanzern des Typs Merkava 2B sind zum Merkava 2 BATASH umgerüstet worden. Letzteres war lediglich eine direkte Antwort auf eine dringende taktische Forderung für die Bedingungen an der Grenze zum Libanon. Der Merkava 2B ist und bleibt die vorherrschende Merkava-Variante.

Der mit den neuen Modulen ausgestattete Merkava 2 BATASH verliert von vorne gesehen die keilförmige Struktur seines Turmes. Aus der Sicht des Autors ist dieses Fahrzeug aber damit vielleicht das harmonischste und ästhetischste aller Merkava Modelle.

Erhöhte Kampfkraft

Der Merkava 2A, der etwa 1984 erschien, war mit einer verbesserten Matador 2 Feuerleitanlage ausgerüstet, die einen moderneren Laser-Entfernungsmesser und einen ballistischen Rechner beinhaltete. Leistungsgesteigerte Querwind- sowie meteorologische Sensormasten gehörten zur Standardausstattung. Der Merkava 2B, der 1985 in Dienst gestellt wurde, verfügte über einen Wärmebildkanal für das Sichtgerät des Richtschützen und verbesserte damit die Nachtkampffähigkeit. Die Feuerleitanlage hatte allerdings einige Kinderkrankheiten zu überwinden, die ihre Leistungsfähigkeit herabsetzte. Obwohl die Leistungen der Anlage heute als exzellent bezeichnet werden, so waren die ersten Einsatzmonate von Matador 2 behaftet mit Problemen. Zu ihrer Verblüffung bemerkten die Besatzungen des Merkava 2 damals, dass die älteren Centurion beim Schießen eine höhere Genauigkeit als der neue Panzer vorweisen konnten.

In Israel ist die Anordnung des Sichtgerätes für den Kommandanten anders, als bei den meisten anderen panzerfertigenden Nationen. Meistens wird eine rotierende Kuppel verwendet, die mit einer Reihe von x1-Winkelspiegeln und einem primären Doppelfernrohr versehen wird. Wie in Deutschland zieht die IDF einen fest installierten Kranz von identischen Winkelspiegeln, fünf im Falle des Merkava, sowie einem zusätzlichen rotierenden mit einem einfachen Sichtfeld versehenen Winkelspiegel mit den wählbaren Vergrößerungsfaktoren x4 bis x20, vor. Die Israelis (und Deutschen) glauben, dadurch eine leichte

mented, giving a better ride and improved fine control when manoeuvring in confined spaces. On some machines the track tensioning mechanism was changed from one based upon the Centurion, to one based on the T-55.

Whilst the Merkava 2A retained the small circular exhaust for the auxiliary power unit as used by earlier machines, on the Merkava 2B it was plated over.

In the 1980s there were some joint manoeuvres held in the Negev desert between Merkava 2 units and M1 Abrams tank units of the US Army. The author has spoken with a couple of the Merkava crewmen involved. Although reluctant to criticise the Abrams, which is indeed a fine MBT, the Israelis both made similar comments suggesting that the Abrams "couldn´t climb" and that it couldn´t "keep pace over rough terrain." Indeed it is true that the Merkava can traverse slopes of 70° rather than the M1 Abrams´ more usual 60°, but the IDF crewmen were more concerned with comparing and contrasting the suspension systems of the two tanks and concluding that the Merkava´s was superior. There are no doubt American crewmen who could give similar anecdotal information, pointing out the superiority of their machines; however, the author has not had the chance to speak to any who took part in the joint exercises.

During the fighting in Lebanon during 1982, the IDF often found its columns stalled on narrow mountainous roads by hasty field fortifications and minefields. Consequently an effort was made to increase the ability of its armoured formations to breach such obstacles. All Merkava 2s (and Merkava 3s) are fitted with brackets, welded to their front glacis, which act as mounts for RKM type mine-clearing roller systems. The RKM system is sometimes referred to by its IDF designation Nochri (stranger). These are improved versions of the Russian designed KMT-4 and KMT-5 devices, and employ twin track-width rollers. Hanging between the rollers are weighted chains which set off any tilt-rod actuated mines that may lie in the Merkava's path between its tracks. The mine rollers give the tanks the ability to make their own ways through hasty minefields.

Recognition features

As all Merkava 1s were upgraded to Merkava 2 standard, it can be difficult telling the machines apart. Yet, a few salient recognition points remain. The Merkava 2 and Merkava 2A have additional appliqué armour layers to its turret sides and glacis. The Merkava 2B has additional appliqué armour layers to its turret sides, roof and glacis. When compared to the slightly wedge-shaped engine exhaust grille of the Merkava 1, the Merkava 2´s rectangular engine exhaust grille situated on the vehicle´s left front is larger. Whilst the Merkava 1 and 2A have a small, round exhaust port for its auxiliary power unit, situated to the right of the main exhaust grille, in later Merkava 2s this is blanked off.

The Merkava 2 BATASH (also known as the Merkava 2 Dor Dalet) is easily identifiable, having two very noticeable armoured lobes attached to its turret sides. These slope sharply downward to its hull. The upwards extended side skirts give the vehicle a hunchbacked profile. There is a thick slab of appliqué armour on the glacis above the driver´s position.

Veränderungen an Federung und Bremsanlage sind ebenfalls durchgeführt worden, wodurch ein ruhigeres Fahrverhalten und bessere Feinkontrolle bei eingeschränkter Bewegungsfreiheit erzielt werden konnten. Bei einigen Fahrzeugen wurde die Kettenspannvorrichtung von einer, vom Centurion abgeleiteten, Version durch eine, vom T-55 abgeleiteten, ausgetauscht.

Während der Merkava 2A wie bei früheren Fahrzeugen die kleine runde Öffnung für die Auspuffgase des Hilfsgenerators beibehielt, ist diese beim Merkava 2B mit einer Stahlplatte abgedeckt worden.

In den 1980er Jahren sind in der Negev-Wüste einige gemeinsame Manöver zwischen Merkava 2 Einheiten und amerikanischen, mit M1 Abrams ausgestatteten, Panzereinheiten durchgeführt worden. Der Autor konnte persönlich mit einigen der beteiligten Besatzungsmitglieder von Merkava-Panzern sprechen. Obwohl abgeneigt, den M1 Abrams zu kritisieren, der in der Tat eine wunderbare Maschine darstellt, machten diese doch übereinstimmend die Aussage, dass der Abrams "nicht klettern" und in schwierigem Gelände "nicht mithalten" konnte. In der Tat ist es richtig, dass der Merkava Steigungen bis 70 Grad bewältigt, während der M1 Abrams eher für die üblichen 60 Grad ausgelegt ist. Gleichzeitig waren die israelischen Besatzungen mehr betroffen, wenn es darum ging, das Federungssystem der beiden Fahrzeuge miteinander zu vergleichen, wobei sie zu dem Schluss kamen, dass das des Merkava überlegen sei. Es gibt sicher auch amerikanische Besatzungen, die ähnliche Geschichten erzählen können, die die Überlegenheit ihres Fahrzeuges belegen; dem Autor war es allerdings nicht möglich mit Mitgliedern dieser Besatzungen zu sprechen.

Während der Kämpfe im Libanon 1982 sah sich die IDF öfter damit konfrontiert, dass ihre Kolonnen auf den schmalen Gebirgsstraßen durch hastig errichtete Sperren und Minen an Engpässen zum Stillstand gebracht werden konnten. Daraufhin gab es Bemühungen, die Fähigkeit gepanzerter Verbände zum Durchbrechen solcher Sperren zu erhöhen. Alle Merkava 2 (und Merkava 3) erhielten an die Frontplatte angeschweißte Klammern, die der Montage eines Minenräum-Scheibenrollensystems vom Typ RKM dienen. Das RKM-Gerät wird bei der IDF auch manchmal als Nochri (Fremdling) bezeichnet. Es handelt sich dabei um eine Verbesserung der russischen Systeme KMT-4 und KMT-5, sowie der Verwendung zweier, der Kettenbreite entsprechenden, Scheibenrollen. Zwischen den Scheibenrollen hängt eine Kette, die Minen mit Knickzündern zur Explosion bringen soll, die zwischen die Ketten des Merkava gelangen könnten. Das Minenräum-Scheibenrollensystem gibt dem Merkava die Fähigkeit, sich seinen eigenen Weg durch ein Minenfeld zu bahnen.

Erkennungsmerkmale

Da alle Merkava 1 mittlerweile auf den Standard Merkava 2 nachgerüstet worden sind, wird es schwierig, diese exakt zu differenzieren. Einige wenige Unterschiede sind aber geblieben. Der Merkava 2 und Merkava 2A verfügt über eine verstärkte Panzerung an den Turmseiten und vorne. Der Merkava 2B verfügt über eine verstärkte Panzerung an den Turmseiten, auf dem Dach und vorne. Im Vergleich zu der leicht keilförmig geformten Auspuffgräting des Merkava 1 (vorne rechts an der Wanne angeordnet) ist diese beim Merkava 2 rechteckig und größer. Während Merkava 1 und 2A für die Auspuffabgase des Hilfsgenerators über eine kleine runde Öffnung, die rechts von der großen Auspuffgräting zu finden ist, aufweisen, existiert diese beim Merkava 2 in dieser Form nicht mehr.

Der Merkava 2 BATASH (auch als Merkava 2 Dor Dalet bekannt) kann leicht an den komplett neu geformten Panzerungselementen an den Turmseiten erkannt werden. Diese fallen in Richtung Wanne stark ab. Die nach oben erweiterten Seitenschürzen verleihen dem Fahrzeug ein buckelartiges Erscheinungsbild. Auf dem vorderen Teil des Fahrzeuges befindet sich über der Fahrerposition eine dicke Panzerplatte.

Merkava 2 from the front. The layer of special armour on the turret flanks can be identified by the heavy bolts.
Merkava 2 - Frontansicht. Die typische Zusatzpanzerung dieser Ausführung ist gut an den schweren Bolzen zu erkennen.
(Photo IDF courtesy Chris Foss)

The appliqué armour on the turret sides of the Merkava 2 is evident. Note the prominent meteorological sensor to the rear of the turret top.
The side skirts have ten sections, no line of rivets but the distinctive "sling"-shaped mount on the front skirt.
Die Zusatzpanzerung an den Turmseiten des Merkava 2 ist hier gut zu erkennen. Man beachte auch den Querwindsensor für meteorologische Daten,
der auf dem hinteren Bereich des Turmdaches angebracht ist. Die Seitenschürzen bestehen wieder aus zehn Sektionen, haben keine Verschraubung,
wiederrum aber die "Schlaufe" im vorderen Bereich. (Photo IDF courtesy Chris Foss)

A close up of the Latrun Merkava 2's turret roof. Note the heavy appliqué armour to the turret sides and the prominent meteorological sensor.
Details der Zusatzpanzerung und des meteorologischen Sensors auf der Turmoberseite des Latruner Merkava 2. (Author)

General Tal with his friend, the British armour analyst Richard Ogorkiewicz, photographed in 1984 on the Golan Heights. The two stand alongside a late model Merkava 1 fitted with some features of the Merkava 2.
General Tal und der britische Panzerspezialist Richard Ogorkiewicz vor einem Merkava 1 mit Merkmalen des Merkava 2, aufgenommen auf den Golan Höhen 1984.
(Courtesy Richard Ogorkiewicz)

A Merkava 2 In service at Tseyarim armour base in the mid 1990s. The side skirts are not fitted, thus allowing a closer look onto the massive helical springs used for the suspension system. Note the new "spider-web" spoked road-wheel on the first road-wheel station.
Ein Einsatz-Merkava 2 in der Tseyarim Panzerkaserne Mitte der 1990er Jahre. Die Seitenschürzen sind an diesem Fahrzeug nicht montiert und geben so den Blick auf die Spiralfederungselemente des Fahrwerks frei. Beachte die neue "Spinnweb" Laufrolle. (**Author**)

Merkava 2 with mine-roller system attached.
Ein Merkava 2 mit dem Minenrollen-Räumsystem.
(Courtesy IDF Spokesman)

A later model, the Merkava 2B not only with the appliqué armour for the turret sides, but fitted with the heavy special armour side skirts.
Eine spätere Variante des Merkava 2B ausgestattet sowohl mit der Dachpanzerung des Turmes als auch den gepanzerten Seitenschürzen.
(Courtesy of the IDF)

A Merkava 2 stationed outside Jenin in April 2002. Note how the ball and chain devices protect a shot trap at the turret rear.
Dieser Merkava 2, stationiert außerhalb der Stadt Jenin im April 2002, zeigt sehr gut den Effekt des "Ball and Chain" Kettenvorhangs am Turmheck, der die Ableitung von Geschossen auf das Wannendeck und den Geschossfang verhindern soll.
(Moshe Milner, courtesy of the Israeli Government Press Office)

April 2002, a Merkava 2, its rear baskets emptied to avoid their contents been set alight, surveys a scene of devastation in Jenin during the IDF's Operation "Defensive Shield".
Mit leeren Staukästen und -körben, um die Entzündung deren Inhalts im Straßenkampf zu verhindern, geht dieser Merkava 2 im April 2002 durch die Straßen der zerstörten Stadt Jenin während der Operation "Schutzschild" der israelischen Streitkräfte vor.
(Photographer unknown, courtesy of the Israeli Government Press Office)

Crewmen from a Merkava 2 on the West Bank take a break in-between missions, October 2001. Notice the Palestinian flag flying in the background.
Die Besatzung eines Merkava 2 macht eine Pause während Operationen auf der West Bank im Oktober 2001. Die palästinensische Flagge weht im Hintergrund.
(Moshe Milner, courtesy of the Israeli Government Press Office)

A Merkava 2 on the West Bank in October 2001. Note the armoured bulldozer in the background.
Ein Merkava 2 auf der West Bank im Oktober 2001. Beachtenswert ist auch der gepanzerte Bulldozer im Hintergrund.
(Moshe Milner, courtesy of the Israeli Government Press Office)

A Merkava 2 at a West Bank check point, March 2002. The tactical markings show that the vehicle is (Aleph) tank of first platoon, third company, second battalion.
Ein Merkava 2 an einem Checkpoint auf der West Bank im März 2002. Die taktischen Markierungen zeigen das "Aleph" eines 1. Zuges, 3. Kompanie, 2. Battalion.
(Moshe Milner, courtesy of the Israeli Government Press Office)

Merkava 2 fitted with a bulldozer blade showing off its lift capacity.
Merkava 2 mit angebauter Räumschaufel im Einsatz.
(IDF courtesy Chris Foss)

A Merkava 2 outside President Arafat's HQ at Ramallah, March 2002. Note the evidence of heavy fighting.
Ein Merkava 2 vor Präsident Arafats Hauptquartier in Ramallah im März 2002. Die Gebäude legen Zeugnis von der Schwere der Gefechte ab.
(Dov Rendel, courtesy of the Israeli Government Press Office)

A Merkava 2 races
through the desert.
*Kampfpanzer
Merkava 2
durchquert
mit Höchst-
geschwindigkeit die
Wüste.*
(IDF Spokesman's
Office via Erik-Jan
Hendrik)

A late model Merkava 2B
fitted with the additional
roof armour, typical for this
variant.
*Ein später Merkava 2B
mit der, für diese Variante
typischen, zusätzlichen
Dachpanzerung.*
(IDF courtesy Chris Foss)

Merkava 2s exercising on
the Golan Heights. Note
the machines have 12.7mm
machine guns mounted
above their gun.
*Kampfpanzer Merkava
üben auf den Golan Höhen.
Man beachte die 12,7 mm
Maschinengewehre, die auf
der Kanonenblende montiert
worden sind.*
(IDF courtesy Chris Foss)

A Merkava 2 minus its side skirts crosses an assault bridge. Note the unusual additional storage pannier attached to the rear of the turret basket.
Merkava 2 ohne Seitenschürzen beim Überqueren einer Sturmbrücke. Der zusätzliche Staukasten am Turmkorb ist recht ungewöhnlich.
(IDF courtesy Chris Foss)

This Merkava 2 is fitted out for low intensity combat in an urban environment. Its baskets have been emptied to prevent the contents being ignited by petrol bombs. The optics for the gunner's sight has been protected against bricks and stones by a metal grill.
Merkava 2 in der Ausführung für Straßenkampf mit leeren Staukästen (um Entzündung des Inhalts zu verhindern) und Schutzgittern über den Richtschützenoptiken.
(IDF Spokesman's Office via Erik-Jan Hendrik)

A Merkava 2 kitted out for low intensity warfare. Note how the engine air intake is protected against the deliberate insertion of incendiary materials by a protective grille. Similarly, a grille protects the gunner's optics against low velocity projectiles.
Auch dieser Merkava 2 ist für den Straßenkampf und Konflikte niedriger Intensität umgerüstet worden. Der Lufteinlass des Motors ist mit Gittermaterial geschützt, damit keine Brandmaterialien eingeführt werden können. Die Richtschützenoptiken sind in gleicher Weise gegen Steinwürfe und ähnliche Objekte geschützt.
(IDF Spokesman's Office via Erik-Jan Hendrik)

A Merkava 2B. Note the extensive external stowage, not just a turret basket but the storage hampers each side of the rear hatch. On its left dust guard the tank has the Hebrew name Zohar, meaning bright light. *Merkava, Ausführung 2B. An diesem Fahrzeug fällt die umfangreiche Ausrüstung, sowohl im Turmstaukorb als auch in den Heckstaukästen auf. An der linken Heckschürze ist der hebräische Name Zohar (Helles Licht) zu erkennen.* (Courtesy Thomas Antonsen)

Another Merkava 2B. The photo shows the collapsible storage hampers, made of perforated steel mesh, similar to TOGA armour used on some IDF AFVs. *Ein weiterer Merkava 2B, hier mit den klappbaren Heckstaukästen aus dem gleichen Material, aus dem die TOGA Panzerung einiger israelischer Kampffahrzeuge besteht.* (Courtesy Thomas Antonsen)

A view of the late model special armour side skirts fitted to this Merkava 2B. Note the impressive thickness of the skirts. Directly above the dust guard is a storage pannier containing the tank's infantry phone. The tank carries the tactical markings (Gimel) 11 and the name Oz, meaning strength and courage. *Ansicht der stark gepanzerten Seitenschürzen des Merkava 2B. Darüber, am Heck, befindet sich das Infanterietelefon. Die taktische Markierung Gimel 11 und der Name Oz (Kraft und Mut) sind sichtbar.* (Courtesy Thomas Antonsen)

A close-up shot of the Merkava 2's suspension unit. Note two different types of road wheels. *Details des Fahrwerks des Merkava 2, hier mit zwei verschiedenen Laufrollen.* (Author)

Merkava 2 from the front. Note the headlights. The tactical markings suggest the tank belongs to third company.
Merkava 2 - Frontansicht. Beachte die Frontscheinwerfer. Die taktische Markierung erlaubt den Schluss, dass das Fahrzeug zu einer 3. Kompanie gehört. (Courtesy Evgeny Nesher)

The flank showing the engine grille, smoke grenade discharger and gunner´s sight.
Die Flanke zeigt die Motorabdeckung, Nebelmittelwurfanlage und Richtschützenoptik.
The engine hatch. Note the bulge in the glacis required to accommodate the powerpack.
Die Motorabdeckung. Die Auswölbung im Motordeck wurde durch die Größe der Antriebsanlage nötig.
The appliqué armour of a Merkava 2's turret in close up.
Die Zusatzpanzerung am Turm des Merkava 2 in Nahaufnahme.
(Photos courtesy Evgeny Nesher)

The turret in close up. Of interest are the massive bolts helping to fix the armour in place. Note the circular mounting above the gun; this is used to attach a 12.7mm machine gun for sub-calibre gunnery practice and in urban warfare.
Der Turm in Nahaufnahme. Interessant ist die massive Auslegung der Befestigungsbolzen um die Zusatzpanzerung zu fixieren. Die runde Halterung auf der Blende ist für das 12,7 mm Einschieß-MG für den Kampf in bebauten Gebieten vorgesehen. (Courtesy Evgeny Nesher)

The metal wand is a Third Eye multi-directional laser sensor, manufactured by Moked, fitted to the Merkava 2 as part of its self-protection package.
Der stabartige Sockel beherbergt einen "Drittes Auge" multi-direktionalen Lasersensor, der von Moked gefertigt wird und dem Merkava 2 im Rahmen des Eigenschutzes dient. (Courtesy Evgeny Nesher)

The gun mounting photographed from the rear. Note the tough textile covering, the material is known as Shimshonit.
Die Kanonenblende von oben. Die Textilabdeckung besteht aus dem Material Shimshonit. (Courtesy Evgeny Nesher)

The cluttered environment around the commander's hatch. Yet, every device is placed just as it should be in order to fall to hand.
Der Raum um die Kommandantenkuppel scheint überladen, es ist jedoch alles für die praktische Anwendung ausgelegt. (Courtesy Evgeny Nesher)

The Merkava 2 commander's 7.62mm FN MAG.
Das 7,62 mm FN MAG Maschinengewehr des Merkava 2 Kommandanten. (Courtesy Evgeny Nesher)

Looking down at the loader's hatch with an antenna and storage pannier to the top.
Die Ladeschützenluke mit Antennenfuß und Staukasten. (Courtesy Evgeny Nesher)

The 60mm mortar muzzle of a Merkava 2 protected by a metal cage. It is positioned in front of the loader's hatch. Note the vision block to the left.
Der 60 mm Mörser des Merkava 2 ist durch einen Metallkäfig geschützt und vor der Ladeschützenluke angebracht. Beachte die Optik links. (Courtesy Evgeny Nesher)

A Merkava 2B being stripped down as part of a process to modernise it. Note the characteristic storage pannier fitted to the outer edge of the turret basket, this is typical of Merkava 2Bs being converted into Merkava 2 BATASH.
Ein Merkava 2B wird zerlegt um ihn zu modernisieren. Man beachte die typischen Staukästen an den Seiten des Turmstaukorbes, die typisch für einen Merkava 2B sind, der zum Merkava 2 BATASH umgerüstet wird. (Author)

A Merkava 2B in the process of being stripped down and modernised, photographed from the rear. Note the rear storage baskets are missing; giving a clear view of the hull´s storage hatches each side of the rear exit. The Centurion-type track-tensioning system is fitted.
Wiederrum ein Merkava 2B in der Umrüstung. Die Heckansicht zeigt fehlende Staukörbe und erlaubt somit einen Blick auf die beiden Luken der Staukästen am Wannenheck. Die Kettenspannvorrichtung, abgeleitet vom Centurion, ist gut erkennbar. (Author)

A Merkava 2 BATASH (also known as Merkava 2B Dor Dalet) with its characteristic appliqué armour modules. Note the heavy slab of armour now installed on the glacis to further protect the driver's position.
Ein Merkava 2 BATASH (auch als Merkava 2 Dor Dalet bekannt) mit den charakteristischen Zusatzpanzerungselementen. Die schwere und massive Auslegung der Panzerung wird an den Elementen auf der Bugplatte, die zum Schutz des Fahrers angebracht worden sind, besonders deutlich.
(Courtesy of the IDF)

From the side the Merkava 2 BATASH looks similar to the later Merkava 3 Dor Dalet. It can be distinguished by the 105mm gun and the steeper angle of the appliqué armour applied to its turret. The graceful lines of the Merkava 2 BATASH are shown to best effect when viewing the tank from the loader's side. Note the stowage boxes on the turret basket, typical for the BATASH variant. The side-skirts now incorporate massive vertical extensions covering the sides of the rear hull. Note also, that the ten-section riveted side-skirts are again of a modified version compared to the previous types, the distinctive "sling" is gone. A "spider-web" spoked road wheel has been fitted to the first road wheel station. Heavy shocks deformed the first road wheel on early Merkava variants, leading to the introduction of this reinforced type. The holes in some Merkava road-wheel types prevent the build-up of mud between the double road-wheel disks.

In der Seitenansicht unterscheidet sich der Merkava 2 BATASH kaum vom späteren Merkava 3 Dor Dalet. Lediglich die 105 mm Bordkanone und der steilere Winkel der Zusatzpanzerungselemente am Turm zeigen hier die Variante 2 BATASH. Von der Ladeschützenseite aus gesehen, kann man für das außergewöhnliche Design mit schlanken Linien nur Bewunderung empfinden. Die Staukästen seitlich am Turmstaukorb sind eines der Erkennungsmerkmale der BATASH Varianten. Interessant ist die nach oben verlängerte zusätzliche Seitenpanzerung im hinteren Bereich der Wanne, direkt über den Seitenschürzen. Die Seitenschürzen selbst, bestehend aus zehn Sektionen und mit Reihen von Bolzen versehen, sind wiederrum, im Vergleich zu den Vorgängermodellen, modernisiert und modifiziert worden. Die "Schlaufe" ist verschwunden. Eine "Spinnennetz"-Laufrolle ist an der ersten Station zu erkennen. Der starke Verschleiß an dieser Setelle des Fahrwerks bei früheren Merkava-Varianten machte die Einführung dieses neuen Typs notwendig. An vielen anderen Laufrollen sind nun auch Bohrungen zu finden, die verhindern sollen, dass sich zwischen den Scheiben des Doppellaufrollenpaares Schmutz aufbaut und somit die Fahreigenschaften beeinträchtigt werden.

(Courtesy of the IDF)

A Merkava 2B with fourth generation packages on the back of a transporter. Note the very different turret profile and vertical extension of the side skirts to earlier Merkavas.
Ein Merkava 2B mit Panzerungslementen der 4. Generation auf einem Panzertransporter verlastet. Der Unterschied im Turmprofil und den neuen Seitenschürzen im Vergleich zu seinen Vorgängern ist enorm.
(Moshe Milner, courtesy of the Israeli Government Press Office)

A Merkava 2B with fourth generation armour exits Fatima gate, the last tank through during the withdrawal from Lebanon in May 2000.
Ein Merkava 2B mit Zusatzpanzerung der 4. Generation beim Durchfahren des Fatima Tores. Dies war der letzte Panzer, der beim Rückzug im Mai 2000 den Libanon verließ.   (Alfi Ben Yaakov, courtesy of the Israeli Government Press Office)

Two Merkava 2Bs with fourth generation armour packages on the approaches to Fatima gate on the border between Israel and Lebanon.
Note the Nagmachon heavy APC in the background.
Zwei Merkava 2B mit Panzerung der 4. Generation auf dem Weg zum Fatima Tor an der Grenze zwischen Israel und dem Libanon. Im Hintergrund ist ein schwerer Nagmachon Schützenpanzer zu sehen.   (Moshe Milner, courtesy of the Israeli Government Press Office)

The Merkava 3 MBT
Kampfpanzer Merkava 3

A new tank

Whilst the Merkava 2 introduced incremental upgrades to the tank, the Merkava 3 saw more fundamental changes to the vehicle´s ballistic protection, firepower and mobility. In essence it was a new design, with a hull some 457mm longer than earlier machines. Despite the changes the Merkava 3 shares the same basic configuration. The Merkava 3 is currently the mainstay of the IDF's tank fleet. Design work commenced in August 1983. The first metal for the Merkava 3 was cut on 02 November 1986. The first unit to receive the tank was the 188th or Barak Brigade which started to re-equip with the tank in the spring of 1989. Since then, some 650 Merkava 3 have been manufactured in total.

There have been three major production blocks for the Merkava 3, each block encompassing some improvements over its predecessor. Blocks I and II have minor internal changes. Block III Merkavas, sometimes referred to as the Merkava 3 B, are made readily identifiable by an additional layer of special armour on the turret roof. In addition to these three production blocks, there has been a programme to install fourth generation armour on newly built machines. These armour packs are also being retro-fitted to older Merkava 3s.

Modular protection

From its inception the Merkava was designed with future growth potential in mind. The Merkava 3 carried this idea one stage further. In addition to the introduction of sophisticated laminates, the Merkava 3 pioneered the use of modular armour. The appliqué modules are removable and replaceable, thus allowing relatively easy battlefield repair and the option for base workshops to upgrade a vehicles protective shell when more advanced laminates become available. The turret casting is some 220mm longer than on the Merkava 2, to allow room for the armour upgrades.

Whilst maintaining the philosophy of earlier variants of Merkava, where sub-systems are arranged to sacrifice their mass rather than allow penetration of the fighting compartment, the Merkava 3 benefits from some sophisticated material technologies.

Ein neuer Panzer

Während mit dem Merkava 2 eine deutliche Kampfwertsteigerung erreicht werden konnte, repräsentiert der Merkava 3 eine fundamentale Veränderung bezüglich ballistischen Schutzes, Feuerkraft und Beweglichkeit. Praktisch war er ein neuer Panzer mit einer um 457 Millimeter längeren Wanne. Trotz der Veränderung blieb das Gesamtbild beim Merkava 3 erhalten. Der Merkava 3 bildet gegenwärtig das Rückgrat der israelischen Panzertruppe. Die Entwicklung des Fahrzeugs begann im August 1983. Das erste Metall für den Merkava 3 wurde am 02. November 1986 geschnitten. Die erste Einheit, die den Merkava 3 erhielt, war die 188. oder Barak Brigade, deren Neuausstattung im Frühjahr 1989 begann. Seit dieser Zeit sind insgesamt etwa 650 Merkava 3 gefertigt worden.

Es gab drei Hauptbaulose des Merkava 3, wobei jedes Baulos einige Verbesserungen gegenüber seinem Vorgänger darstellte. Baulos I und Baulos II beinhalteten kleinere interne Veränderungen. Das Baulos III, manchmal als Merkava 3B bezeichnet, ist dagegen äußerlich an der zusätzlichen Schicht Spezialpanzerung auf dem Turmdach zu erkennen. Parallel zu den drei Baulosen gab es ein Programm zur Integration der vierten Generation von Spezialpanzerung in die laufende Produktion. Diese Panzerungselemente werden auch nachträglich in ältere Merkava 3 integriert.

Modularer Schutz

Der Kampfpanzer Merkava ist von Anfang an mit dem Blick auf ein zukünftiges Aufwuchspotential konstruiert worden. Der Merkava 3 führte diese Idee noch einen Schritt weiter. Zusätzlich zu der hoch entwickelten Schichtpanzerung, setzte der Merkava 3 Maßstäbe für die Nutzung einer modularen Panzerung. Die Zusatzpanzerungsmodule können dabei beliebig abgenommen und ausgewechselt werden und erlauben damit eine vereinfachte Reparatur von Gefechtsschäden sowie die Integration von fortgeschrittenen Panzerungsmodulen, wenn die Technik neue und bessere Panzerungen verfügbar gemacht hat. Das Turmgehäuse ist etwa 220 Millimeter länger als beim Merkava 2, um mehr Raum für mögliche Kampfwertsteigerungen zur Verfügung zu haben.

Während die Grundphilosophie der frühen Merkava-Varianten, bei denen Untersysteme so angeordnet worden sind, um gegebenenfalls geopfert zu werden, um einen Durchschlag zu verhindern, beibehalten worden ist, nutzt der Merkava 3 die Technik einiger sehr hochentwickelter Materialien. Statt sich auf den bisher üblichem Panzerstahl als Grundschutzkomponente zu verlassen, beinhaltet der Merkava

The right flank of a Merkava 3 from the rear. The tactical markings on the right mud guard indicate the tank belongs to the second battalion of a brigade.
Die rechte Seite ines Merkava 3. Die taktischen Zeichen auf dem rechten Staubfänger weisen auf ein Fahrzeug eines 2. Bataillons einer Brigade hin. (Author)

The balls and chains which protect the side and rear of the turret from HEAT warheads. To the top left, one of the three laser detectors associated with the tank's Ancoram self protection system can be seen.
Die "Ball and Chain" Panzerung, die das Heck und die Seiten des Turmes vor HEAT Geschossen schützen. Oben links im Bild ist einer der drei Laserwarnsensoren des Ancoram Schutzsystems zu erkennen.
(Author)

A close-up of the Merkava 3's IMI smoke discharger, in this case all six grenades have been fired.
Detailaufnahme einer der IMI Nebelwurfmittelanlagen des Merkava 3. Hier sind bereits alle sechs Granaten verschossen worden. (Author)

This view gives some idea of the thickness of the special armour side skirt. Note the special armour doesn't extend all the way down.
Dieser Blickwinkel zeigt sehr gut die Wandungsstärke der gepanzerten Seitenschürzen. Bei genauem Hinsehen erkennt man, dass die Stärke im unteren Bereich geringer ist.
(Author)

Looking up at the turret, gunner's sights and smoke grenade launchers.
Blick auf die Richtschützenoptik und die Nebelwurfmittelanlagen.
(Author)

A Merkava 3 reverses. Note the distinctive smokey engine exhaust associated with the Merkava.
Ein Merkava 3 in Rückwärtsfahrt. Die sichtbare Rauchentwicklung ist typisch für alle Merkava Kampfpanzer. (Author)

The Merkava 3 at speed. The wedge shaped turret shows to advantage.
Vollgas mit dem Merkava 3. Auch hier ist die spezielle Turmform des Fahrzeugs gut zu erkennen. (Author)

A Merkava 3 advances during an exercise on the Golan Heights.
Ein Kampfpanzer Merkava 3 während einer Übung auf den Golan Höhen.
(Author)

A pair of Merkava 3's look for targets. Note both tanks are fitted with 12.7mm machine guns over their gun.
Zwei Merkava 3 auf der Suche nach lohnenden Zielen. Beide Fahrzeuge sind mit dem 12,7 mm Maschinengewehr auf der Kanonenblende ausgerüstet.
(Author)

Crewmen disembark from their Merkava 3. A 12.7mm machine gun and two 7.62mm machine guns are fitted.
Die Besatzung eines Merkava 3 beim Ausbooten aus dem Fahrzeug. Ein 12,7 mm und zwei 7,62 mm MGs sind montiert. (Author)

A platoon of Merkava 3s and their crewmen await orders to start an exercise.
Ein Zug Merkava 3 und die Panzerbesatzungen erwarten ihre Befehle um ein Manöver durchzuführen. (Author)

A Merkava 3 climbs out of a dip in terrain from where it had been in a hull down position checking for targets.
Ein Merkava 3 verläßt seine gedeckte Stellung von der aus er nach Zielen im Gelände gesucht hat. (Author)

Deserved break - A Merkava 3 and crewmen relax after the end of an exercise.
Auch Pause muss sein: Die Besatzung eines Merkava 3 bei der verdienten Rast anch einer Übung. (Author)

Crewmen gather in front of their Merkava 3. Note the crew's webbing, Nomex overalls and their Type 602 ballistic helmets.
Die Besatzung eines Merkava 3 versammelt sich vor ihrem Gefechtsfahrzeug. Die Uniformierung besteht aus Nomex Overalls und Typ 602 Helmen mit ballistischem Schutz. (Author)

The bulged left side of this Merkava 3's glacis is well picked out by the prevailing light.
Die Frontansicht erlaubt hier einen guten Blick auf die Auswölbung im Motordeck des Merkava 3. (Author)

This Merkava 3 clearly shows the extra layer of turret roof armour associated with the Merkava 3B. Note the sensor directly above the gun's mantlet, this is part of the Ancoram laser warning system.
An diesem Merkava 3 ist die Zusatzpanzerung auf dem Turm gut zu erkennen, die üblicherweise mit dem Merkava 3B assoziiert wird. Beachte auch den Laserwarnempfänger des passiven Ancoram Schutzsystems auf der Kanonenblende. (Avi Ohayon, courtesy of the Israeli Government Press Office)

These Merkava 3s on exercise on the Golan in November 1997 appear to be upgraded models. Note the slight re-design of the fume-extractor sleeve with its metal eyes around the rim to facilitate removal. This new design is now ubiquitous on 120mm armed Merkavas.

Diese Merkava 3 Kampfpanzer im Einsatz auf den Golan Höhen 1997 sind offenbar modernisierte Varianten. Man beachte die etwas andere Auslegung der Thermalummantelung der Kanone und deren Befestigungsschellen. Dieser neue Entwurf ist nun Standard bei allen Merkava 3 mit 120 mm Kanone. (Avi Ohayon, courtesy of the Israeli Government Press Office)

A Merkava 3 Baz on display, front and rear view. The distinctive features of this variant become apparent here.
Ein Merkava 3 Baz während eines Tages der offenen Tür. Die spezifischen baulichen Merkmale dieser Variante sind auf diesen beiden Fotos gut auszumachen. (Courtesy Evgeny Nesher)

A pristine Merkava 3 Baz Dor Dalet with fourth generation armour packages fitted. Note the distinctive armour lobes attached to the turret flanks.
Der Merkava 3 Variante Baz Dor Dalet ist sehr gut anhand der neuen geschwungenen Turmpanzerungselemente der 4. Generation zu identifizieren. (Author)

A Merkava 3 Baz Dor Dalet from the front with prominent mounts for mine clearing systems.
Frontansicht des Merkava 3 Baz Dor Dalet mit Befestigungspunkten für Minenräumgerät am Bug. (Author)

A Merkava 3 fitted with the Dor Dalet fourth generation armour packages. Note that the tank is missing the independent commander's sight associated with the Baz fire control system.
Ein Merkava 3 mit der neuen Dor Dalet Panzerung der 4. Generation. Beachte, dass das Fahrzeug nicht mit der Baz Zieloptik des Kommandanten ausgerüstet worden ist. (Courtesy IMI)

A Merkava 3 Baz Dor Dalet in 2003. Note how the new armour changes the slab-sided turret of the Merkava 3 into a more effective ballistic shape. *Ein Merkava 3 Baz Dor Dalet im Jahre 2003. Es ist gut zu erkennen, wie die neue Panzerung dem gesamten Turm eine stark verbesserte geschossabweisendere Form verleiht.* (Ryan Suchet)

The Merkava 3 Baz Dor Dalet at the Eurosatory arms fair in Paris, 2002, where the Israeli defence industry showed its capabilities. However, it remains doubtful which export customer could obtain this prime weapon-system without violating Israeli security considerations. *Der Merkava 3 Baz Dor Dalet auf der internationalen Waffenmesse Eurosatory in Paris, im Jahre 2002. Auch die israelische Verteidigungsindustrie zeigt dort ihre Produktpalette Wehrtechnik. Es bleibt jedoch fraglich, an welche Länder dieses hochmoderne Fahrzeug geliefert werden könnte, ohne vitale israelische Sicherheitsinteressen zu berühren.* (Courtesy Stefan Marx)

A Merkava 3 Baz Dor Dalet backs up a Merkava 3 and urban warfare variant of the Nagmachon heavy APC, near Erez crossing, the Gaza border. *Ein Merkava 3 Baz Dor Dalet unterstützt Merkava 3 Kampfpanzer und schwere Nagmachon Schützenpanzer in der Aufstandskonfiguration nahe des Überganges Erez an der Grenze zum Gaza Streifen.* (Moshe Milner, courtesy of the Israeli government Press Office)

A Merkava 3 Baz Dor Dalet on the back of a commercial transporter rented by the IDF.
Ein Merkava 3 Baz Dor Dalet, verlastet auf einem zivilen und von der israelischen Armee angemieteten Panzertransporter.
(Courtesy P.M. van Wijk)

A Merkava 3 Baz Dor Dalet that has been modified for urban warfare conditions. Details see next page.
Ein Merkava 3 Baz Dor Dalet, eingerüstet für den Einsatz im Straßenkampf und Kampf in bebauten Gebieten. Siehe Details nächste Seite.
(Author)

A close up of the protective measures taken to safeguard the fire control optics from low velocity projectiles such as bricks.
Nahaufnahme des Gitterschutzes gegen Bewurf durch Steine und ähnliche Projektile an den Richtschützenoptiken. (Author)

This view of a Merkava 3 Baz Dor Dalet that has been modified for urban warfare shows that not only the air intakes, but the engine exhaust and fire control sights have protective metal grilles in place.
Diese Ansicht des Merkava 3 Baz Dor Dalet zeigt Details der "Aufstands"-Modifikationen: Nicht nur die Lufteinlässe, sondern auch alle Öffnungen im Motorbereich sowie an den Optiken sind mit Gittermaterial geschützt. (Author)

The newly protected engine air-intakes. Note the whip "aerial" on the edge of the side skirt, this is to help the driver's situational awareness when manoeuvring in tight urban terrain.
Die geschützten Lufteinlässe des Motors. Der Stab dient dem Fahrer zur Abschätzung der Fahrzeugmaße bei beengten Straßenverhältnissen. (Author)

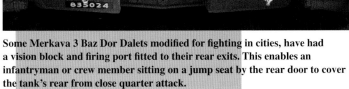

Some Merkava 3 Baz Dor Dalets modified for fighting in cities, have had a vision block and firing port fitted to their rear exits. This enables an infantryman or crew member sitting on a jump seat by the rear door to cover the tank's rear from close quarter attack.
Einige Merkava 3 Baz Dor Dalet sind speziell für den Straßenkampf mit Sichtblöcken und Schießöffnungen in der Heckluke modifiziert worden. Dies ermöglicht es aufgesessener Infanterie oder einem Besatzungsmitglied unter Panzerschutz nach hinten zu sichern. (Courtesy Eran Kaufman)

This type of see-through commander's cupola can be fitted to Merkavas tasked with patrolling city streets. The cupola can be raised and lowered in an umbrella configuration, allowing overhead protection with maximum visibility. Even when fully lowered the large, bullet-proof glass vision-blocks allow much better situational awareness for the tank commander than a conventional cupola would.
Diese spezielle Kuppel kann am Merkava für Straßenpatrouillen in Städten eingerüstet werden. Nach oben und unten beweglich, ermöglicht sie dem Kommandanten sehr viel bessere Rundumsicht unter Panzerschutz als die standardmäßigen Fahrzeugoptiken. (Courtesy of the IDF)

to help crewmen keep comfortable in the harsh local climate.

Greater firepower

In the early years of the Merkava 4´s development process, there had been much conjecture in the foreign military press that the machine would be equipped with a 140mm gun. Indeed, in 1992, IMI did acknowledge that they had developed an APFSDS round for a smoothbore 140mm weapon. There had been some speculation that Israeli firms cooperated with Swiss companies to develop a 140mm gun. This has not been confirmed. However there was no possibility of the weapon being adopted by the IDF unless the calibre had previously been taken on by NATO countries, in particular the USA. Without such an implementation by NATO the IDF would have been out on a limb, without the possibility of alternate sources of tank ammunition supply in times of emergency. The Israelis put a lot of work into developing a 140mm weapon; the intention being that it could be rapidly introduced into service should the calibre become a NATO standard. The general consensus amongst the NATO countries – and the Israelis – was that for the moment at least, 140mm was a step too far. It had too many disadvantages such as weight and bulk. Adopting a 140mm weapon would have meant that an autoloader would have to be fitted, the round being too heavy for a human loader to manage in battlefield conditions. The autoloader would have meant additional cost and complexity. The sheer size of the 140mm round would also mean fewer could be stowed on board a tank, reducing battlefield sustainability in high intensity combat. In addition, the IDF was strongly of a mind to keep a four man tank-crew. They felt that ditching the loader and replacing him with a machine would have been unacceptable. The reason being a three man crew faces increased workload in such matters as repairing and maintaining the machine.

Again over the last twenty years, the Israelis have been at the cutting edge of research into more exotic weaponry, such as electrothermal-chemical guns. These weapons use pulses of electrical energy and plasma generators to augment and control the release of chemical energy from conventional and advanced propellants. Electrothermal-chemical guns are intended to enhance the lethality of kinetic energy penetrators by increasing their velocity. In the event none of the leading tank producers have gone down that route for now. The Israelis concur, seeking the cheaper and technologically safer solution of stretching the performance of conventional 120mm KE rounds.

As matters stand, the Merkava 4 carries a conventional, locally designed and produced high pressure 120mm smoothbore gun. A new breech recoil mechanism is used; this allows greater muzzle velocity giving improved performance for the kinetic energy rounds carried. Despite the high muzzle velocity of the Merkava 4's weapon, the IDF refer to it as having soft recoil, improving accuracy. IMI produced APFSDS kinetic energy rounds are a standard load for the Merkava 4 along with APAM and HEAT rounds. A new semi-automatic magazine, taking ten ready rounds in a protected drum-like cassette, has been fitted to assist the loader. A loader assist system is cheaper than a full autoloader and takes up less volume. The type of round delivered to the loader can be selected from a simple push button menu. Unlike the magazine of the Merkava 3, that of the new machine is all electric, rather than being electro-mechanical. The machine's 120mm gun is locked into position during the loading process. The angle of elevation

In den ersten Jahren des Entwicklungsprozesses zum Merkava 4 gab es eine ganze Reihe von Mutmaßungen in der ausländischen Militärfachpresse, dass dieser mit einer 140 mm Kanone ausgerüstet sein würde. In der Tat hatte IMI 1992 zugegeben, dass sie ein APFSDS-Geschoss für eine 140 mm Glattrohrkanone entwickelt hätten. Es gab Spekulationen, dass israelische und schweizer Firmen dabei seien, zusammen eine 140 mm Waffe zu entwickeln. Dies konnte aber nicht bestätigt werden. Andererseits gab es jedoch auch keine Möglichkeit für die IDF zur Einführung einer solchen Waffe, bevor dieses Kaliber nicht von anderen NATO-Staaten, insbesondere den USA, übergenommen worden wäre. Ohne eine solche Einführung bei der NATO wäre die IDF alleine dagestanden, ohne eine alternative Möglichkeit zur Beschaffung von Munition in Zeiten der Not. Die Israelis steckten eine Menge Arbeit in die Entwicklung einer 140 mm Waffe. Die Absicht dahinter war die Möglichkeit zur schnellen Einführung einer solchen Waffe, für den Fall, dass dieses Kaliber NATO-Standard wird. Der allgemeine Konsens zwischen den NATO-Staaten und den Israelis war, dass, für den Moment jedenfalls, 140 mm ein Schritt zu weit ist. Die Waffe hatte zu viele Nachteile bezüglich Gewicht und Abmessungen. Die Einführung einer 140 mm Waffe hätte auch die Einführung eines automatischen Laders bedurft, da die Patrone zu schwer ist, um von einem Ladeschützen unter Gefechtsbedingungen gehandhabt zu werden. Ein automatischer Lader hätte zusätzliche Kosten und Komplexität verursacht. Die schiere Größe einer 140 mm Patrone hätte auch bedeutet, dass die Anzahl der mitgeführten Patronen hätte reduziert werden müssen, was die Durchhaltefähigkeit während intensiver Kampfhandlungen negativ beeinflussen würde. Darüber hinaus bleibt die IDF bei der Vorstellung die Anzahl der Besatzungsmitglieder bei vier zu belassen. Der Ersatz des Ladeschützen durch eine Maschine wurde als unakzeptabel empfunden. Der Grund ist auch, dass eine dreiköpfige Besatzung einer höheren Belastung bezüglich Reparaturen und Wartung ausgesetzt wäre.

Wieder einmal sind es die Israelis, die in den letzten 20 Jahren in der Forschung an Waffensystemen, wie beispielsweise elektrothermisch-chemische Geschütze, führen. Diese Waffe verwendet Pulse elektrischer Energie und Plasmageneratoren, um die Abgabe chemischer Energie von herkömmlichen oder fortgeschrittenen Treibmitteln zu verstärken und zu kontrollieren. Elektrothermisch-chemische Geschütze dienen der Verstärkung der Wirkung von Penetratoren von Wuchtgeschossen, indem sie deren Geschwindigkeit erhöhen. Im konkreten Fall ist keiner der führenden Panzerhersteller bisher soweit gegangen diesem Weg zu folgen. Die Israelis haben dem zugestimmt, indem sie die kostengünstigere und technologisch risikoärmere Lösung wählten, um das Leistungspotential herkömmlicher 120 mm Wuchtgeschosse weiter auszureizen.

Stand der Dinge ist, dass der Merkava 4 über eine in Israel produzierte herkömmliche 120 mm Glattrohrkanone verfügt. Ein neuer Rohr-Rückführmechanismus wird dabei verwendet. Dieser erlaubt eine höhere Mündungsgeschwindigkeit und damit eine größere Leistung der mitgeführten Wuchtgeschosse. Trotz der hohen Mündungsgeschwindigkeit der Hauptwaffe des Merkava 4 betont die IDF dabei den relativ schwachen Rückstoß und die damit erzielte höhere Treffergenauigkeit. Von IMI produzierte APFSDS-Geschosse gehören zur Standardausstattung des Merkava 4 ebenso wie APAM und HEAT Geschosse.

Die neuen halbautomatischen Magazine nehmen zehn Patronen Bereitschaftsmunition in einer geschützten trommelartigen Kassette auf und dienen der Unterstützung des Ladeschützen. Eine den Ladeschützen unterstützende Maschine ist kostengünstiger und nimmt weniger Raum ein als ein automatischer Lader. Die Munitionsart kann durch einen einfachen Knopfdruck aus einem Menü heraus bestimmt werden. Anders als bei Merkava 3-Panzern ist der neue Mechanismus voll elektrisch gesteuert und nicht mehr elektromechanisch. Die 120 mm Waffe wird während des Ladevorganges vollständig in ihrer Lage arretiert. Der Hö-

so dem Besatzungsmitglied etwas Komfort in einem strengen lokalen Klima bieten.

is fixed, to facilitate easier loading. As soon as loading is complete, the weapon is unlocked. One very senior source within the Merkava programme has stated that for the first time on the Merkava, some ready rounds are now stored above the level of the turret ring. He also stated that consequently blow-out panels have been added to the tank's turret. This has yet to be verified as accurate data. It could be disinformation intended to protect aspects of the Merkava's design.

The Israeli company EL-OP has developed an improved version of its FCS for use in the Merkava 4. A new thermal imager known as the Tadir is integrated with an upgraded Baz FCS. The new thermal imager has higher sensitivity, a greater field of view, better resolution and improved reliability levels. It also requires less maintenance than competing systems. The tank commander and gunner have a high quality colour monitor which allows surveillance and target identification at longer range. Both the commander and gunner have fully independent and stabilised sights. The auto-track function of the FCS has been modified and offers superior performance. The advanced FCS and sensors facilitate the use of the LAHAT gun launched missile. The LAHAT has been modified recently, and although its performance is unaffected, it is somewhat shorter. It is now the same size as regular ammunition, allowing easier stowage.

An eventual potential competitor for LAHAT is a tandem-round missile known as Excalibur. Currently in the process of being developed by the Israeli firms Rafael and IAI, Excalibur has some tactical advantages over LAHAT. Excalibur borrows technology from Rafael's Spike family of ATGMs and has a fire and forget capability. However the development of the Excalibur has been slow.

Although the loader no longer has a hatch from which he can operate a 7.62mm MAG, the machine gun by the commander's hatch now has a more sophisticated mounting. This can be traversed and aimed from under armour. The mounting for a 12.7mm machine gun just above the gun found on earlier Merkavas remains. The heavy machine gun is very useful for urban fighting and in sub-calibre gunnery training. On some Merkava 4s, a 40mm automatic grenade launcher has been fitted in lieu of the 12.7mm machine gun. This gives an alternative option in fighting in built up areas.

Better Mobility

The 65 tonne tank has a new 1,500hp German designed powerpack, the MTU MT 883. According to Israeli sources, the engine is purchased from the US, produced under licence in the USA by General Dynamics as the GD833. However, it is possible, that at least some of the powerpacks have recently been delivered directly from Germany. German displeasure with Israel's policy towards the Palestinians led in 2003 to delays in the supply of the new power plant. It seems that any hold-ups proved to be temporary. The power plant uses a new Renk RK325 automatic transmission with five forward gears rather than the four of the Merkava 3. The Merkava 4 has a power-to-weight ratio of around 23 hp per tonne, better than earlier marks of the tank.

The exhaust outlet remains in its familiar position: at the front left of the tank when viewed from the front. The exhaust outlet is considerably larger than on earlier models of the tank and has already gone through a re-design of its protective grilles, a pattern of forward slanting fins being replaced by fins which form

henwinkel ist festgelegt, um den Ladevorgang zu vereinfachen. Sobald dieser beendet ist, wird die Arretierung aufgehoben. Eine sehr hochrangige Quelle aus dem Merkava-Programm gab an, dass zum ersten mal bei einem Merkava einige Patronen der Bereitschaftsmunition über dem Drehkranz des Turmes untergebracht worden sind. Er fügte dabei hinzu, dass deswegen einige Sollbruchstellen (Explosionsplatten) zusätzlich im Turm eingebaut worden sind. Dies muss allerdings erst noch bestätigt werden. Es könnte sich dabei durchaus um eine Desinformation handeln, die Einzelheiten des Merkava 4 Konzeptes verschleiern soll.

Die israelische Firma El-Op hat für den Merkava 4 eine verbesserte Version ihrer Feuerleitanlage entwickelt. Ein neues Wärmebildgerät, bekannt unter der Bezeichnung Tadir, wurde einer leistungsgesteigerten Feuerleitanlage des Typs Baz zugeordnet. Das neue Wärmebildgerät hat eine höhere Empfindlichkeit, eine größeres Sichtfeld, eine höhere Auflösung und Zuverlässigkeit. Dabei ist der Wartungsaufwand geringer als bei vergleichbaren Anlagen. Kommandant und Richtschütze verfügen über einen Farbbildschirm hoher Qualität, der die Identifizierung von Zielen über größere Reichweiten erlaubt. Beide, Kommandant und Richtschütze, verfügen über separate und voll stabilisierte Sichtgeräte. Die automatische Zielfolgeeinrichtung wurde modifiziert und bietet eine höhere Leistung. Die fortgeschrittene Feuerleitanlage ermöglicht den Einsatz von LAHAT Geschossen durch das Rohr.

Das LAHAT-Geschoss ist kürzlich dahingehend modifiziert worden, dass es, obwohl seine Leistungen davon nicht beeinflusst worden sind, nun etwas kürzer ist. Damit entsprechen seine Abmessungen nun denen gängiger Munitionsarten, womit seine Unterbringung vereinfacht worden ist.

Ein möglicher Konkurrent zum LAHAT-Geschoss ist eine Rakete mit Tandem-Gefechtskopf, bekannt unter dem Namen Excalibur. Gegenwärtig wird der Excalibur-Flugkörper von den israelischen Firmen Rafael und IAI entwickelt und bietet einige taktische Vorteile gegenüber LAHAT. Excalibur hat sich dabei Technologien der Panzerabwehr-Lenkflugkörper-Familie Spike von Rafael ausgeliehen und verfügt über eine Fire-and-Forget Fähigkeit. Die Entwicklungsarbeiten insgesamt ziehen sich allerdings in die Länge.

Obwohl der Ladeschütze nicht mehr über eine eigene Luke verfügt, von der aus er das 7,62 mm MAG Maschinengewehr bedienen kann, hat das Maschinengewehr neben der Kommandantenluke nun eine modernere Lafettierung erhalten. Dieses kann nun unter Panzerschutz bedient und ausgerichtet werden. Die Installation des 12,7 mm Maschinengewehres auf der Hauptwaffe ist wie bei früheren Merkava-Panzern beibehalten worden. Dabei ist das schwere Maschinengewehr beim Kampf in bebautem Gelände und zur Ausbildung für die Hautwaffe sehr hilfreich. Bei einigen Merkava 4 ist das 12,7 mm Maschinengewehr durch einen automatischen 40 mm Granatwerfer ersetzt worden, womit sich eine alternative Möglichkeit für den Kampf in bebautem Gelände ergibt.

Höhere Beweglichkeit

Der 65-Tonnen-Panzer verfügt über eine in Deutschland entworfene Antriebsanlage vom Typ MTU MT 883 mit einer Leistung von 1.500 PS. Nach israelischen Quellen wird diese Anlage aus den USA beschafft, wo sie unter Lizenz von General Dynamics unter der Bezeichnung GD833 gefertigt wird. Es ist allerdings durchaus möglich, dass mittlerweile einige dieser Antriebseinheiten auch direkt aus Deutschland geliefert worden sind. Deutscher Unmut über die israelische Politik gegenüber den Palästinensern führte im Jahre 2003 zu einigen Verzögerungen bei der Auslieferung dieser neuen Antriebseinheiten. Wie es aussieht, waren diese Verzögerungen aber nur vorübergehender Natur. Die Antriebsanlage verwendet ein neues Automatikgetriebe vom Renk Typ RK325 mit fünf Vorwärtsgängen anstelle von vieren beim Merkava 3. Der Merkava 4 hat mit etwa 23 PS je Tonne ein besseres Leistungsgewicht als die früheren Baulose dieses Panzers.

Die Auspufföffnung behält ihre bekannte Position vorne rechts am Panzer. Diese Auspufföffnung ist nun aber deutlich größer als bei früheren Modellen des Merkava und ging bereits durch eine Entwurfsänderung der Schutzgrätings, wobei die Anordnung mit von schräg nach vorne

a front-facing series of chevrons. It seems some care has been taken to reduce the tank's thermal signature. This is a necessary move in an era when relatively cheap thermal imagers are becoming increasingly common on the battlefield. Attempts have been made to keep the exhaust plume away from the dust thrown up by the tracks. This is because most thermal imagers can not detect a thermal plume made up of gaseous material alone; they can only detect targets in the spectrum 8-14 μm. However, they can "see" the exhaust plume when it mixes with dust and particles.

The tank's suspension system is an upgrade of that of the Merkava 3. The IDF have specified that the tank should be capable of traversing rough terrain at a speed with minimal crew discomfort or systems breakdown. It is believed that the Merkava 4 can cross very rough terrain at a speed of 55-60kph. Unlike the latest variants of the Merkava 3, the Merkava 4 has nearly exclusively reverted from using all steel road wheels to ones which use rubber rims. It is noticeable that the rubber rims on the front pair of the Merkava 4's front road-wheels, suffer fragmentation and break-up well before the rims on the other road wheels. Normally a tank's rubber-rimmed road-wheels would be expected to cope with a temperature of 200° C when the machine goes for an extended road run. The rubber separates from the rims at a temperature of around 300°C. The damage to the Merkava's front pair of rubber rims is symptomatic of excessive thermal and pressure loading and is indicative of the machine's considerable weight. Officially the machine is stated to be 65 tonnes. Unofficial, unconfirmed figures, point to 70 tonnes. Perhaps not surprisingly, given the vehicle's weight, early Merkava 4s reportedly required re-design of their brakes. A problem they shared with the very first Merkava 1s, back at the start of the whole project.

Surprisingly, unlike its predecessors, the Merkava 4 has not as yet been fitted with attachment points on the glacis for the RKM mine-roller system.

The IDF faces a future battlefield where the crew, including the driver, will need to fight the vehicle buttoned down with closed hatches. Chemical weapons, artillery fragments and sniper fire make the luxury of open-hatch combat too risky. The Merkava 4 has four cameras embedded in armoured boxes on the tank's superstructure. These give the driver all round vision, including former blind spots to the tank's sides and rear, on a high resolution monitor. As well as these high-tech aids, the driver has a distinctly old-fashioned but effective positional aid. Heavy duty whip aerials are situated, one a side, at the extreme front corners of the Merkava 4's hull. These help the driver to know where the footprint of his machine extends to and prove useful in tight manoeuvring. Once in the field, the rather tall whip aerials installed at Tel Ha Shomer are cut down to their "natural" size by the movement of the tank gun.

Recognition Features

The tank's hull is more symmetrical than other Merkavas. From the front, the glacis doesn't have a distinct raised mound on its left side, characteristic of earlier marks. The travel lock for the gun is central, rather than offset to the left. The Merkava 4 has a distinct, stepped appearance to its turret with clusters of grenade launchers each side of the turret which differ from the familiar style used by earlier variants of the Merkava. The turret itself lacks a loader's hatch. In its place is the armoured housing for the commander's independent panoramic sight.

ausgerichteten Platten durch eine, nach vorne ausgerichtete, Reihe von Winkeln ersetzt worden ist. Es ist anzunemhen, dass darauf geachtet wurde, die Wärmesignatur des Panzers zu reduzieren. Dies ist ein notwendiger Schritt, angesichts der steigenden Verfügbarkeit kostengünstiger Wärmebildsensoren auf dem Gefechtsfeld. Es wurde versucht, den Abgasstrom aus der, von den Ketten herrührenden, Staubwolke herauszuhalten. Dies geschah deshalb, weil Wärmebildgeräte den aus gasförmigen Bestandteilen alleine bestehenden Abgasstrom schlechter orten können. Diese können nur Ziele im Spektrum von 8-14 μm erkennen. Einen mit Staub und Partikeln versetzter Abgasstrom können sie aber sehr wohl erfassen.

Das Federungssystem ist eine leistungsgesteigerte Version des im Merkava 3 verwendeten. Die IDF forderte, dass ein Panzer schweres Gelände bei relativ hoher Geschwindigkeit bewältigen muss, ohne den Komfort der Besatzung zu beeinträchtigen und ohne einen Systemzusammenbruch zu erleiden. Es wird angenommen, dass der Merkava 4 sehr schweres Gelände mit einer Geschwindigkeit von 55 bis 60 Kilometern in der Stunde bewältigen kann. Anders als bei den letzten Varianten des Merkava 3, verwendet der Merkava 4 wiederum meist Laufrollen mit Gummibandagen. Es ist bemerkenswert, dass die Gummibandagen der ersten Laufrollenpaare des Merkava 4 viel eher brechen und sich auflösen als die hinten montierten. Im Normalfall wird erwartet, dass das Gummigemisch bei längeren Straßenfahrten sich entwickelnden Temperaturen von bis zu 200 Grad Celsius standhält. Es löst sich erst bei Temperaturen von 300 Grad Celsius von der Laufrolle. Die Schäden an den vorderen Laufrollenpaaren stammen von symptomatischer Überlastung durch zu hohes Gewicht und zu hohe Temperaturen, und verdeutlichen damit das hohe Gewicht des Fahrzeuges. Offiziell beträgt das Gesamtgewicht 65 Tonnen. Weniger offiziell sind es unbestätigten Berichten zufolge eher 70 Tonnen. Vielleicht darf es dann auch nicht überraschen, dass aus Gewichtsgründen bei frühen Merkava 4 eine Überarbeitung der Bremsanlage notwendig wurde. Dieses Problem teilt der Merkava 4 mit den allerersten Merkava 1 ganz zu Anfang des Merkava-Projektes.

Überraschenderweise wurde der Merkava 4, anders als seine Vorgänger, bisher nicht mit Halterungen für die Installation eines Minenräum-Scheibenrollensystems vom Typ RKM versehen.

Die IDF sieht sich einem Gefechtsfeld der Zukunft gegenüber, auf dem die Besatzung bis hin zum Fahrer gezwungen wird, mit dem Fahrzeug bei vollständig geschlossenen Luken zu kämpfen. Chemische Waffen, Artilleriesplitter und Scharfschützen machen eine offene Luke zu einem gefährlichen Luxus. Der Merkava 4 verfügt über vier, in gepanzerten Boxen untergebrachte, Kameras. Diese erlauben dem Fahrer auf einem Monitor hoher Auflösung volle Rundumsicht, auch in bisher tote Winkel an den Flanken des Panzers und nach hinten.

Neben diesen hochtechnischen Hilfsmitteln verfügt der Fahrer zusätzlich über eine ausgesprochen altmodische und effektive Orientierungshilfe. Äußerst stabile, Peitschenantennen ähnliche, Stäbe befinden sich an den beiden vorderen Enden der Wanne des Merkava 4. Diese zeigen dem Fahrer die genaue Position seines Fahrzeuges an und sind damit besonders nützlich beim Manövrieren unter beengten Verhältnissen. Im Felde werden diese relativ langen, in Tel Ha Shomer montierten, Stäbe bei Bewegungen der Kanone durch diese umgebogen.

Erkennungsmerkmale

Die Wanne des Merkava 4 is symmetrischer gestaltet als die anderer Merkava-Panzer. Von vorne gesehen zeigt die Frontplatte nicht die ausgeprägte Erhöhung auf der linken Seite, die so charakteristisch für die früheren Varianten ist. Die Rohrverzurrung befindet sich nun in der Mitte des Motordecks und nicht mehr leicht nach links versetzt. Der Merkava 4 zeigt eine deutliche Stufung des Turmes, der mit Nebelmittelwurfbechern auf jeder Seite versehen ist, die anders aussehen als die gängigen Becher der früheren Baulose des Merkava. Dem Turm selbst fehlt die Luke des Ladeschützen. An dieser Stelle wurde das separate Rundblickperiskop des Kommandanten montiert.

Suspension and side skirt details, vehicle´s right side.
Fahrwerk und Seitenschürzen, rechte Wannenseite. (Author)

The characteristic angled, chevron shaped fins, protecting the Merkava 4's engine exhaust grille. Note the over-lapping fins offer a degree of ballistic protection.
Die winkelförmigen Bleche der Auspuffabdeckung, typisch für den Merkava 4, die guten ballistischen Schutz bieten. (Author)

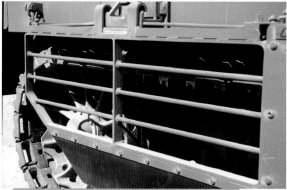

An alternate view of the rear grille section of the Merkava 4 side skirts.
Eine weitere Ansicht des Gitterschutzes an der hinteren Seitenschürze.
(Author)

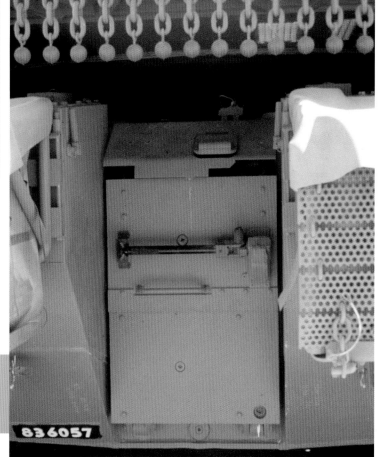

The rear hatch. Note the design for the Merkava 4 has been modified slightly when compared to earlier variants. The Toga-style mesh-armour belonging to a stowage basket can be seen to the right.
Die Austiegsluke am Heck des Fahrzeugs. Die Ausführung dieser Baugruppe unterscheidet sich beim Merkava 4 von den Vorgängermodellen. Rechts ist ein Staukorb mit der Toga Panzerung aus perforierten Stahlblechen zu erkennen.
(Author)

A Merkava 4 in the final stages of assembly at Tel Ha Shomer ordnance base.
Ein Merkava 4 kurz vor der Endmontage im Tel Ha Shomer Depot. (Author)

Right hull side of the Merkava 4 awaiting completition at Tel Ha Shomer. Note the new rubber-rimmed roadwheels. The first road wheel again differs slightly in layout from the others.
Die rechte Wannenseite des Merkava 4 kurz vor der Fertigstellung in Tel ha Shomer. Beachte die neuen Laufrollen mit Gummibandagen. Die erste Laufrolle unterscheidet sich wiederrum von den weiteren.
(Author)

A Merkava 4 at Tel Ha Shomer ordnance base. The lack of side skirts gives a glimpse at the suspension system.
Ein Merkava 4 im Tel Ha Shomer Depot. Die noch nicht angebrachten Seitenschürzen geben Details des Fahrwerks und der Aufhängung preis. (Author)

The Merkava 4's large turret basket and its sturdy construction are shown to advantage.
Hier ist die robuste Auslegung des Merkava 4 Turmstaukorbes sehr gut zu erkennen. (Author)

A close-up of the turret flank showing the Merkava 4's new style grenade launchers, grab handle and base plate for mounting a laser warning sensor.
Nahaufnahme der Turmseite mit der neuen Nebelmittelwurfanlage, Handgriffen und die Stütze zur Aufnahme des Laserwarnsensors. (Author)

Looking at the front of the Merkava 4's hull with the turret slewed to the right. Note the travel lock on the glacis and behind the driver's vision blocks. An antenna mount, empty sensor base plate and meteorological/crosswind sensor can be seen on the turret flank.
Die Oberwanne mit dem Turm in 3-Uhr-Stellung. Im Vordergrund die Marschzurrung, dahinter die Winkelspiegel des Fahrers. Ein Antennenfuß, eine Sensorhalterung und der Querwindsensor ist an der Turmseite zu erkennen. (Author)

The impressive cluster of sensors, grenade launchers, hatch and sights that can be seen on the Merkava 4's turret when viewed from the front. Note the cut-out in the turret armour for the coaxial machine-gun.
Der massive Einbau von Sensoren, Nebelmittelwurfanlagen, Luken und Optiken dominiert die Ansicht des Merkava 4 Turmes von vorne. Der Einschnitt in die Turmfrontpanzerung dient dem koaxialen Maschinengewehr. (Author)

An interesting view of the driver's vision blocks and the partially installed gunner's and commander's sights.
Ansicht der Winkelspiegel des Fahrers und der bereits teilweise montierten optischen Ausblicke des Kommandanten und des Richtschützen. (Author)

A close up of the Merkava 4's suspension system. Above the tracks the base plates awaiting the fitting of side skirt hinges can be seen.
Details des Fahrwerks und der Aufhängung. Über der Kette sind die Halterungen zur Aufnahme der Seitenschürzen zu erkennen. (Author)

Another view of a Merkava 4 fitted with a 40mm grenade launcher instead of the more usual 12.7mm machine gun. Both weapons have a place in urban warfare, but the machine gun can be used for sub-calibre gunnery training.
Ansicht eines Merkava 4, hier bewaffnet mit einer 40 mm Granatmaschinenkanone anstelle des üblichen 12,7 mm Maschinengewehrs. Beide Waffen sind für den Einsatz beim Kampf in bebauten Gebieten vorgesehen, wobei das MG auch als Einschiesswaffe für die Bordkannone dienen kann. (Courtesy Eran Kaufman)

Merkava Armament / *Merkava Bewaffnung*

105mm rifled tank-gun M68-L71A

The rifled 52-calibre 105mm gun M68, manufactured by Israel Military Industries (IMI), is associated with the Merkava 1 and Merkava 2 main battle tanks. It is very similar to the British L7 type but utilises a different tube and breech design. By retaining the semi-automatic vertical-sliding breechblock of the US-built T254E2, the weapon had been standardised as the M68. Guns of the same calibre were incorporated into the M48/M60 Patton and Centurion tank families also in service with the IDF. IMI adopted the design for further production in Israel.

120mm smoothbore tank-gun MG251

In 1989 the IDF revealed a 120mm smoothbore gun developed by IMI for integration in the Merkava 3 MBT. Performance and design are very similar to the German Rheinmetall 120mm L44 smoothbore gun used in the Leopard 2 and the American M1A1 Abrams. With a recoil system consisting of an optimised concentric retarder and pneumatic recuperator the weapon is relatively compact showing a length of 556 centimetres, a diameter of 53 centimetres and requiring a turret aperture of only 54x50 centimetres. Thus, the weapon can replace the existing 105mm weapon of exisiting Israeli MBTs. Ammunition is manufactured in Israel. NATO ammunition can also be fired from this weapon, if required. Handling of the 3,300kg weapon by the loader of the Merkava 3 includes the use of drum magazines containing five rounds of ready ammunition positioned at the turret floor. For loading the weapon is disconnected from the elevating mechanism and brought into a horizontal position automatically. Also the vertical sliding-wedge type breech opens automatically. Design pressure is 7,100 bar. A 120mm weapon, but one designed for higher breech pressures, was installed on the Merkava 4. The thermal sleeve is manufactured by Vishay.

Ammunition

Israeli Military Industries has developed for the Merkava 105mm and 120mm guns as well as for export various types of ammunition. These include, among others, US-types of ammunition in service with the IDF:

105 mm	HEAT, HESH, APDS, M111 APFSDS-T, M413 APFSDS-T, Phosphorous, APAM, LAHAT, Excalibur, APAM
120 mm	M111 APFSDS, M114, APFSDS-T M711 (CL 3254); HEAT-MP-T M325 (CL 3105), TPCSDS-T M324 (CL 3139), LAHAT, Excalibur, APAM

The fin-stabilised HEAT-MP round is highly accurate over long

Gezogene 105-mm Kanone M68-L71A

Die 105 mm Kanone M68 mit gezogenem Rohr, produziert von Israel Military Industries (IMI), wird neben dem Merkava 1 und 2 auch von den meisten anderen israelischen Kampfpanzern verwendet. Sie ähnelt sehr der englischen L7 Kanone, verwendet aber einen anderen Verschlussmechanismus. Bassierend auf der amerikanischen T254E2, bei der der halb-automatische Fallkeilverschluß beibehalten worden ist, wurde sie als M68 standardisiert und eingeführt. Waffen dieses Kalibers sind bei den israelischen Kampfpanzern der M48/M60 Patton Familie und beim Centurion weithin im Einsatz. IMI nahm die Konstruktion als Vorlage für eine Produktion in Israel.

120-mm Glattrohrkanone MG251

1989 gab die IDF die Verwendung einer 120 mm Kanone von Israel Military Industries (IMI) für den Merkava 3 bekannt. Leistung und Auslegung entsprechen weitgehend der deutschen 120 mm L44 Glattrohrkanone von Rheinmetall, die auch beim Leopard 2 oder beim amerikanischen M1A1 Abrams verwendet wird, verfügt aber über ein anderes Rohrrückholsystem und ist mit einer Länge von 556 Zentimetern, einem Durchmesser von 53 Zentimetern und einer benötigten Montageöffnung von 54 x 50 Zentimetern so kompakt, dass sie problemlos anstelle der vorhandenen 105-mm Kanone auch bei anderen Kampfpanzern eingebaut werden könnte. Die Munition für die Hauptwaffe wird in Israel gefertigt, es kann jedoch auch NATO-Munition verschossen werden. Die Handhabung der 3.300 Kilogramm schweren Waffe durch den Ladeschützen ist dabei beim Merkava 3 durch die Nutzung einer zusätzlichen Trommel (Rotationsmagazin) mit fünf Patronen Bereitschaftsmunition am Turmfuß leicht vereinfacht worden. Die Kanone wird nunmehr für den Ladevorgang selbst vom Antrieb der Rohrerhöhung ausgekuppelt und automatisch in eine horizontale Lage gebracht. Auch der Fallkeilverschluss öffnet sich nun automatisch. Die 120-mm Glattrohrkanone MG251 ist für einen Druck von bis zu 7.100 bar ausgelegt. Diese Waffe wurde auch für den Merkava 4, wenn auch in einer Auslegung für höheren Geschossdruck, eingeführt. Die Wärmeschutzhülle stammt von Vishay in Israel.

Munition

Israeli Military Industries hat für die 105 mm und 120 mm Kanonen des Merkava und für den Export eine ganze Reihe von Munitionsarten entwickelt. Diese beinhalten neben anderen, bei der IDF eingeführten, amerikanische Munitionsarten:

105 mm	HEAT, HESH, APDS, M111 APFSDS-T, M413 APFSDS-T, Phosphor, APAM, LAHAT, Excalibur
120 mm	M111 APFSDS , M114, APFSDS-T M711 (CL 3254); HEAT-MP-T M325 (CL 3105), TPCSDS-T M324 (CL 3139), LAHAT, Excalibur, APAM

Die flügelstabilisierte Munition des Typs HEAT-MP verfügt über eine hohe Zielgenauigkeit auch über größere Entfernungen und kann gegen Hubschrauber eingesetzt werden. Nur für den Merkava

ranges and can be used to engage helicopters. Excluisvely released for the Merkava is a anti-personnel round, where the loader has to program the distance to the target into the fuze.

In 2004 IMI announced the development of insensitive munitions based on less sensitive nitramine explosives and thermoplastic binders. Additionally IMI has developed a LOVA gun-propellant of reduced sensitivity.

Secondary Armament

Machine guns

The turret-mounted machine guns employed by the Merkava tanks are of 7.62mm (.30 calibre) FN MAG type designed by FN Herstal, usually for commander and loader. The 7.62mm FN MAG general-purpose machine guns are gas-operated, have a weight of 10.85 kg and a length of 1,260mm. The muzzle-velocity is 840 metres per second and the effective range 1,200 metres. "Maverick" crews have been rumored to have rigged 12.7mm machine guns in place of the 7.62mm FN MAGs as an added measure of deadly firepower against enemy gunships and roaming squads of RPG armed irregular fighters.

Some Merkava tanks show a 12.7mm M2 HB machine gun over the barrel on a circular mounting point. The 12.7mm M2 HB (Heavy Barrel) heavy machine gun weighs 38.15kg, has a length of 1,727mm and an effective range of 1,830 metres. The muzzle velocity is 930 metres per second.

60 mm Soltam systems commando-mortar

On the Merkava 1 and Merkava 2 the 60mm mortar is mounted externally. From the Merkava 2B it is mounted internally on the commander´s side of the turret and controlled from within (officially known as UAM – Under Armour Mortar) with a traverse between 40 and 85 degrees. The minimum range is 10 metres, the maximum range 3,500 metres.

freigegeben ist ein spezielles Flechett-Geschoß gegen weiche Ziele, wobei der Ladeschütze nur die Entfernung für den Zünder einstellen muss.

Im Jahre 2004 gab IMI zum ersten mal die Entwicklung einer neuen Munitionsfamilie bekannt, die als "insensitive munitions" bezeichnet wird, also wesentlich unempfindlicher gegen äußere Einwirkungen ist. Diese basiert auf weniger empfindlichen Nitranminen und Thermoplastbindemitteln. Darüber hinaus wird auch an ebenso unempfindlicheren Treibmitteln unter der Bezeichnung LOVA gearbeitet.

Sekundäre Bewaffnung

Maschinengewehre

Die Maschinengewehre, die bei den Merkava-Panzern genutzt werden, sind vom Typ FN MAG, entwickelt von FN Herstal, mit einem Kaliber von 7,62 mm. Auf dem Turmdach montiert, werden sie primär vom Kommandanten und Ladeschützen genutzt. Das 7,62 mm FN MAG Maschinengewehr ist gasdruckbetrieben, hat ein Gewicht von 10,85 kg und eine Länge von 1.260 mm. Die Mündungsgeschwindigkeit beträgt 840 Meter pro Sekunde, die effektive Kampfentfernung 1.200 Meter. Einige "wilde" Besatzungen sollen sogar 12,7 mm Maschinengewehre an Stelle der 7,62 mm FN MAGs auf dem Turm montiert, um der Gefahr von gegnerischen Kampfhubschraubern oder, mit RPG-Panzerfäusten bewaffneten, Trupps irregulärer Kämpfer zu begegnen.

Einige Merkava-Panzer sind mit einem schweren 12,7 mm M2 HB (Heavy Barrel - Schweres Rohr) Maschinengewehr in einer speziellen Halterung auf der Kanonenblende ausgestattet worden. Das 12,7 mm M2 HB wiegt 38,15 kg, hat eine Länge von 1.727 mm und eine effektive Kampfentfernung von 1.830 Metern. Die Mündungsgeschwindigkeit beträgt 930 Meter in der Sekunde.

60 mm Soltam Mörser

Auf dem Merkava 1 und 2 ist der 60 mm Soltam-Mörser extern montiert, ab dem Merkava 2B ist er intern in einer Halterung unter Panzerschutz (UAM Under Armour Mortar) auf der Kommandantenseite zu finden. Die Traverse geträgt zwischen 40 und 85 Grad, die minimale Kampfentfernung 10 Meter, die maximale 3.500 Meter.

105mm/120mm LAHAT / *105 mm / 120 mm LAHAT*

The development of a barrel-launched, precision-strike LAHAT (LAser Homing Anti-Tank) weapon system was revealed by IAI not later than 1998. The weapon uses a semi-active guidance system and tandem HEAT warhead. In Hebrew LAHAT means "blade". LAHAT is in principle a down-sized variant of the air- or ground- or ground-to-ground-launched anti-tank guided missile Nimrod. Manufactured by IAI Ltd. MBT Missile Division LAHAT has an effective range of officially 6,000 metres, but probably can engage targets in a distance of up to 8,000 meters, thus operating in BLOS (Beyond Line-Of-Sight) mode. The target needs to be illuminated by a LASER beam only. Handling of LAHAT is similar to a standard round of ammunition. After minor modifications on the fire-control system, including the integration of a laser-designator and a fire-control computer software-update, the operator has to keep the cross hairs simply on target. The missile, with a weight of 13.5kg and tandem warhead, covers a flight path of 4,000 metres within 14 seconds while a lofted trajectory can be selected to engage armoured vehicles and a flat trajectory for engaging helicopters. The Circular Error Probable (CEP) is approximately 0.70 metres. Armour penetration is described as equivalent of 800 millimetres of RHA, thus defeating ERA tiles of modern MBTs with ease. Soft targets are engaged with delay-action fuze settings. Launch signature is described as extremely low. The 984mm long LAHAT round is designed for the 105mm gun, however, by fitting a sabot it can also be fired from a 120mm weapon, thus cutting the logistic burden for mixed tank fleets. Currently LAHAT is being offered for export by IAI Ltd. MBT Missile Division. Rheinmetall Land Systems and General Dynamics Armament and Technical Products (GDATP) have established a LAHAT team to act as prime contractor for the licence production of the LAHAT weapon system to be adopted to Leopard 1, Leopard 2 and M1 Abrams MBTs. LAHAT is in service with the IDF Merkava MBTs.

Bereits 1998 war von IAI die Verwendung eines durch das Rohr abzu-feuernden Raketengeschosses zur Punktzielbekämpfung über größere Entfernungen LAHAT (LASER Homing Anti-Tank) mit halbaktiver La-ser-Steuerung und einem Tandem-HEAT-Gefechtskopf bekannt gegeben worden. In Hebräisch steht Lahat für "Klinge". Dabei handelt es sich praktisch um eine verkleinerte Form des Luft-Boden oder Boden-Boden Panzerabwehr-Lenkflugkörpers Nimrod. Von der IAI Ltd. MBT Missile Division produziert, erlaubt LAHAT die Bekämpfung von Zielen in einer Entfernung von offiziell 6.000 Meter, wahrscheinlich aber sogar bis zu 8.000 Meter, also auch jenseits der Sichtlinie des schießenden Systems. Es genügt dabei die Zielbeleuchtung durch einen Laserstrahl. Die Handhabung ist identisch mit der von einem Kampfpanzer mitgeführten Patronenmunition. Die Nachrüstung der vorhandenen Feuerleitanlage entspricht bei modernen Kampfpanzern einer Software-Anpassung und beinhaltet die Integration einer Laser-Zielbeleuchtungsanlage. Nach dem Abfeuern behält der Bediener lediglich das Ziel im Fadenkreuz. Der Flug-körper mit einem Gewicht von 13,5 Kilogramm verwendet einen Tandem-Gefechtskopf und legt die ersten 4.000 Meter innerhalb von 14 Sekunden zurück. Vor dem angeleuchteten Ziel steigt er in der Regel hoch und stürzt sich dann von oben auf dieses, kann aber auch in einer flachen Flugbahn Hubschrauber bekämpfen. Die Zielgenauigkeit liegt bei 0,70 Metern. Die Durchschlagsleistung wird mit einem Äquivalent von 800 Millimetern Panzerstahl angegeben, womit auch die aktive Zusatzpanzerung (ERA) moderner Kampfpanzer leicht durchschlagen werden kann. Für weiche Ziele kann auf eine Verzögerungsfunktion des Zünders zurückgegriffen werden. Der Abschuss selbst wird als extrem unauffällig bezeichnet. Der 984 Millimeter lange und ursprünglich für eine 105 mm Waffe entwickel-te LAHAT-Flugkörper kann durch die Beifügung eines Treibkäfigs auch problemlos mit einer 120 mm Waffe verschossen werden, was den logi-stischen Aufwand für eine gemischt ausgestattete Panzertruppe erheblich vereinfacht. Gegenwärtig wird LAHAT von der IAI Ltd. MBT Missile Division für den Export angeboten, wobei sich sowohl Rheinmetall Land-systeme als auch General Dynamics Armament and Technical Products (GDATP) für die Kampfpanzer Leopard 1 und Leopard 2 sowie dem M1 Abrams als Hauptlizenznehmer für eine Lizenzproduktion von LAHAT anbieten. Der LAHAT wurde von der IDF für den Merkava beschafft.

Merkava 2 (large picture) and Merkava 3 (inlay) firing 105mm / 120mm LAHAT missiles, respectively.
Merkava 2 (großes Bild) und Merkava 3 (kleines Bild) beim Abfeuern des 105-mm bzw. 120-mm LAHAT Geschosses. **(Courtesy IMI)**

Merkava armour and armour-penetration capabilities
Merkava-Panzerung und Munitions-Durchschlagsleistungen

The "Green Tank". A T-55 - in service with many Arab armies and of Soviet manufacture - is used as a target to check the ballistic properties of anti-tank rounds during the development of the Merkava's weaponry.
Der "Grüne Panzer". Ein T-55 sowjetischer Produktion, im Dienste vieler arabischen Armeen, wird als Hartziel genutzt, um die Durchschlagsleistungen der panzerbrechenden Munition der Merkava Bordkanonen während derer Entwicklungsphasen zu testen.
(Author)

The front face of a Israeli-designed plate of regular rolled homogeneous steel armour, showing the effects of various types of anti-tank weapons. The top impact point has been formed by a Sagger missile with its HEAT warhead. The lower impact point was made by a kinetic energy round as fired by tank gun.
Die Vorderseite einer Panzerplatte aus RHA Panzerstahl, von der israelischen Armee speziell zum Beschuss gefertigt, zeigt die Wirkung verschiedener Einschläge von Panzerabwehrmunition. Der obere stammt von einem sowjetischen AT-3 Sagger Panzerabwehrlenkflugkörper mit HEAT Gefechtskopf, der untere von einem kinetischen Geschoss aus einer Panzerkanone. (Author)

The rear face of the plate of rolled homogeneous armour, shon left, illustrating how it has been pierced by both the HEAT and kinetic energy projectiles.
Die Rückseite der links abgebildeten RHA-Panzerplatte zeigt die Durchschüsse sowohl des HEAT Gefechtskopfes als auch des kinetischen Geschosses. (Author)

The front plate of another special armour plate showing more impact points of a Sagger warhead at the top and a kinetic energy round to the bottom.
Die Vorderseite einer weiteren Platte zeigt wiederrum Einschläge eines Panzerabwehrlenkflugkörpers Sagger mit Hohlladungsgefechtskopf und unten eines kinetischen Panzergeschosses. (Author)

The rear of the opposite Israeli special armour plate showing no evidence, not even fragmentation and stress cracks, of penetration after being tested by HEAT and kinetic energy projectiles.
Die Rückseite der links abgebildeten Panzerplatte zeigt dagegen keinerlei Penetration, noch nicht einmal Risse im Panzerstahl, nach dem Beschuss durch das HEAT Hohlladungsgeschoss und das kinetische Panzergeschoss. (Author)

Merkava 1 on display
Merkava 1 im Museum

Walk-around the prototype Merkava 1 at the tank museum Latrun. The displayed vehicle shows differences to the standard series-production Merkava 1 as well as missing bits and pieces. The photographs shown here are intended to fill the gaps in close-up detail which could not be obtained from in-service vehicles.

Rundgang um den Merkava 1 Prototypen im Panzermuseum Latrun. Im Vergleich zum Serienfahrzeug weicht er in einigen Unterschieden ab und es fehlen, ausstellungsbedingt, etliche Kleinteile. Die Abbildungen sollen Lücken in den Details füllen, die nicht anhand von Serienfahrzeugen so ausführlich dargestellt werden konnten.

All photographs / *Alle Fotos*:
Courtesy Michael Ritzmann

Merkava 2 on display
Merkava 2 im Museum

Walk-around the prototype Merkava 2 at the tank museum Latrun. The displayed vehicle shows differences to the standard series-production Merkava 2 as well as missing bits and pieces. The photographs shown here are intended to fill the gaps in close-up detail which could not be obtained from in-service vehicles.

Rundgang um den Merkava 2 Prototypen im Panzermuseum Latrun. Im Vergleich zum Serienfahrzeug weicht er in einigen Unterschieden ab und es fehlen, ausstellungsbedingt, etliche Kleinteile. Die Abbildungen sollen Lücken in den Details füllen, die nicht anhand von Serienfahrzeugen so ausführlich dargestellt werden konnten.

**All photographs / *Alle Fotos:*
Courtesy Michael Ritzmann**

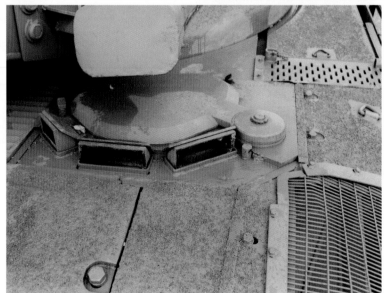

Merkava 3 on display
Merkava 3 im Museum

Walk-around the prototype Merkava 3 at the tank museum Latrun. The displayed vehicle shows differences to the standard series-production Merkava 3 as well as missing bits and pieces. The photographs shown here are intended to fill the gaps in close-up detail which could not be obtained from in-service vehicles.

Rundgang um den Merkava 3 Prototypen im Panzermuseum Latrun. Im Vergleich zum Serienfahrzeug weicht er in einigen Unterschieden ab und es fehlen, ausstellungsbedingt, etliche Kleinteile. Die Abbildungen sollen Lücken in den Details füllen, die nicht anhand von Serienfahrzeugen so ausführlich dargestellt werden konnten.

**All photographs / *Alle Fotos;*
Courtesy Michael Ritzmann**

Bibliography / *Quellenhinweise*

Several editions of Jane's Armour and Artillery year books (edited by Christopher Foss) have been used in the preparation of this book. Similarly various editions of the yearly Military Balance produced by the International Institute of Strategic Studies and the Middle East Military Balance produced by the Jaffee Centre for Strategic Studies were consulted.

Other books used in the preparation of this work included :
Eshel, David. Chariots of the Desert. The story of the Israeli armoured corps. Brassey's. London. 1989.
Hilmes, Rolf (translated by Simpkin, Richard), Main Battle Tank - Developments in Design since 1945. Brassey's. London.1987.
Gabriel, Richard. Operation Peace for Galilee. Hill and Wang. New York. 1984.
Gelbart, Marsh. Military Briefs 2. Israeli Tank Based Carriers. Mouse House. Woden Australia. 2000.
Katz, Samuel; Sarson, Peter. Merkava Main Battle Tank 1977-1996. Osprey. London. 1997.
Maas, Michael. War Machines 11. Merkava MK2/3 Israel Defence Force. Verlinden Publications. Lier, Belgium. 1992.
Myszka, John. Israeli Military Vehicles. The First 50 Years. Mouse House. Woden. Australia. 1998.
Terry, T.W; Jackson, S.R.M; Ryley, C.E.S; Jones, B.E; Wormwell, P.J.H. Fighting Vehicles. Brassey's. London. 1991.
Schneider, Wolfgang (Editor). Tanks of the World, Edition 8. Bernard & Graefe. Bonn. 2001.
Zaloga, Steven. Tank Battles of the Mid-East Wars 2. The Wars of 1973 to the Present. Concord Publications. Hong Kong. 1998.

Many magazines published over several years were used as background material for this book, including Shiryon (armour), the IDF's own magazine for its Armoured Corps. Thanks to my partner Helen, for the translation! Those magazine articles which most influenced this book are listed below.

Eshel, David. Armoured anti-guerrilla combat in South Lebanon. Armor. Vol. CVI No. 4. July-August 1997. P 26-29.
Geibel, Adam. Recent Merkava attacks highlight growing command mine threat. Armor. Vol. CXL, No.3. May-June 2000. P 46-48.
Hilmes, Rolf. AFVs for modern threat scenarios. Military Technology. Vol.XXVI Issue 6. August 2002. P 159-163.
Ogorkiewicz, Richard. Advances in Tank Gunnery Systems. International Defence Review. Vol. 28. October 1995. P 36.
Ogorkiewicz, Richard. Future tank armours revealed. International Defence Review. Vol. 30. May 1997. P 50-51.
Ogorkiewicz, Richard. Battle tanks stand at a crossroads of development. International Defence Review. Vol. 30. October 1997. P30-42.
Ogorkiewicz, Richard. Israel advances with fourth-generation MBT armour and heavily protected fighting vehicles. International Defence Review. Vol 33. May 2000. P 55-59.

Glossary / *Glossar*

AFV	Armoured fighting vehicle	*Gepanzertes Kampffahrzeug*
APAM	anti-personnel/anti-material	*Anti-Personen / Anti-Material*
APC	Armoured personnel carrier	*MTW - Mannschaftstransportwagen*
APFSDS	Armour piercing, fin stabilised, discarding sabot.	*Panzerbrechende flügelstabilisierte Treibspiegelmunition*
ARV	Armoured recovery vehicle	*BPz - Bergepanzer*
ATGM	Anti-tank guided missile	*PzAbwLfk - Panzerabwehrlenkflugkörper*
Blazer	A type of explosive reactive armour	*Reaktivpanzerung an israelischen Militärfahrzeugen*
ERA	Explosive reactive armour	*Reaktivpanzerung*
Excalibur	A tandem warhead top attack round	*Zwillings-Gefechtskopf für den Angriff auf Ziele von oben*
FCS	Fire control system	*Feuerleitanlage*
HEAT	High explosive anti-tank round or warhead	*Hohlladungsgeschoss oder -gefechtskopf*
IDF	Israeli Defence Force	*Israelische Streitkräfte*
IMI	Israel Military Industries	*Israelischer Militär-Industrieller Komplex*
KE	Kinetic energy round, a high speed, high density dart	*Kinetisches Pfeil-Wuchtgeschoss*
LAHAT	Hebrew for Blade, LAser-Homing-Anti-Tank	*Hebräisch für "Klinge", LAser-Homing-Anti-Tank*
MBT	Main battle tank	*KPz - Kampfpanzer*
Merkava	Hebrew for chariot	*Hebräisch für "Streitwagen"*
Nagmash	Hebrew for carrier	*Hebräisch für "Transporter"*
NBC	Nuclear bacterial and chemical	*ABC - Atomar, Biologisch, Chemisch*
Namer	Hebrew for Tiger, an acronym from Nagmash Merkava. The unofficial designation of an APC developed on the chassis of the Merkava Now used as the official designation for a Merkava based ARV	*Hebräisch für "Tiger", ein Akrynom aus "Nagmash" und "Merkava", genutzt als inoffizielle Bezeichnung für den Schützenpanzer auf Basis des Merkava Kampfpanzers. Nun als offizielle Bezeichnung für den Merkava-Bergepanzer in Verwendung*
Namera	Tigress, by 2004, the official designation of a future Merkava based APC	*Hebräisch für "Tigerin". Die offizielle Bezeichnung des zukünftigen Merkava-SPz*
NERA	Non energetic reactive armour	*Nicht-energetische Reaktivpanzerung*
NxRA	Non explosive reactive armour	*Nicht-explosive Reaktivpanzerung*
RHA	Rolled homogeneous armour made of steel plate	*Panzerung aus RHA Panzerstahlplatten*
RPG	Rocket propelled grenades	*Sowjetische Bezeichnung für RPG-Panzerfaust*

Editorial / *Impressum*

Copyright / *Copyright*:   Tankograd Publishing - Verlag Jochen Vollert
                                Wilhelmstr. 2 b, 91054 Erlangen, Germany

Author / *Autor*:   Marsh Gelbart

Layout / *Gestaltung*:   Jochen Vollert
Translation into German / *Übersetzung ins Deutsche*:   Jochen Vollert and Stefan Marx

TANKOGRAD
Militärfahrzeug Publikationen
"Die kompetentesten technisch/historischen Publikationen zur Panzern und Militärfahrzeugen weltweit "

TANKOGRAD
Military-Vehicle Publications
"The most competent publications on armour/military-vehicle technology and history worldwide"

Fordern Sie unseren illustrierten kostenlosen Gesamtkatalog an:
Order our free catalogue with the complete range:

Tankograd Publishing - Verlag Jochen Vollert
Wilhelmstr. 2 b, D-91054 Erlangen, Germany
x: +49 (0)9131/539119, e-mail: jochenvollert@tankograd.com